le NPD et le QUÉBEC 1958 1985

Dessin de la couverture

LABYRINTHE. *n.m.* **1°** *Antiq.* Enclos qui enfermait des bois coupés par un réseau inextricable de sentiers, des bâtiments, des galeries aménagées de telle sorte qu'une fois engagé à l'intérieur, on ne pouvait en trouver l'unique issue.

Le Petit Robert

ANDRÉ LAMOUREUX

le NPD et le QUÉBEC

1958
1985

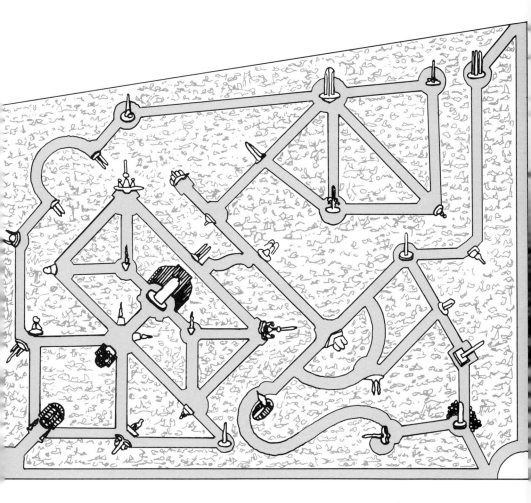

Éditions du Parc

CRÉDIT PHOTOGRAPHIQUE :

Centre de documentation de la F.T.Q. : pages 27-
57-74-82-101-112-119-121-137-147-154
(D. Lewis).
Archives du N.P.D.-Québec : pages 154
(J.-D. Lavigne) -167-181.
Archives de l'UQAM : page 154 (R. Morin et
H.-F. Gautrin).
André Lamoureux : page 165.
Ricardo de Leonardis : page 181.

Maquette de la couverture : Richard Messier et Virgule
Communication

Production graphique : Artès inc.

Impression : Ateliers des Sourds Montréal (1978) inc.

ISBN : 2-89367-988-9

Dépôt légal; 3ᵉ trimestre 1985
Bibliothèque nationale du Québec
Bibliothèque nationale du Canada

TABLE DES MATIÈRES

Remerciements

L'auteur tient à exprimer sa reconnaissance :

— à Robin Sears du Secrétariat fédéral du Nouveau Parti Démocratique qui lui a donné accès aux archives du N.P.D. et du C.C.F. conservées aux Archives publiques à Ottawa;

— à Fernand Daoust de la Fédération des travailleurs du Québec qui a mis à sa disposition ses archives personnelles sur le N.P.D.;

— à Robert Demers pour l'aide apportée dans la consultation des dossiers et archives sur le N.P.D. conservés à la F.T.Q.;

— à Diane Veillet pour le travail de dactylographie.

L'auteur doit une reconnaissance particulière à Roch Denis, professeur de l'Université du Québec à Montréal, qui a dirigé son mémoire de maîtrise («La fondation du Nouveau Parti Démocratique en 1961 et la question nationale au Canada»). Ce mémoire couvre, pour l'essentiel, la période de ce livre qui va de 1958 à 1961.

Enfin, si ce présent ouvrage a été rendu possible, c'est grâce à l'assistance et à l'aide précieuse apportées par l'éditeur, Luc Bégin. Ses conseils comme ses critiques judicieuses ont été indispensables à chaque étape du travail. L'auteur lui témoigne toute sa gratitude.

À Anik et Michel

LISTE DES SIGLES

A.F.L.   American Federation of Labor

A.S.I.Q.   Action socialiste pour l'indépendance du Québec

C.C.F.   Cooperative Commonwealth Federation

C.C.T.   Congrès canadien du Travail

C.E.A.P.   Comité d'éducation et d'action politique

C.E.Q.   Centrale de l'enseignement du Québec

C.I.O.   Congress for Industrial Organisations

C.M.T.C. Congrès des métiers et du travail du Canada

C.N.N.P. Comité national du Nouveau Parti

C.S.N.   Confédération des syndicats nationaux

C.T.C.   Congrès du travail du Canada

C.T.C.C. Confédération des travailleurs catholiques du Canada

F.R.A.P.   Front d'Action Politique

F.T.C.B.   Fédération du travail de Colombie-Britannique

F.T.Q.   Fédération des travailleurs du Québec

F.U.I.Q.   Fédérations des unions industrielles du Québec

M.S.   Mouvement Socialiste

N.P.   Nouveau Parti

N.P.D.   Nouveau Parti Démocratique

N.P.D.-Q. Nouveau Parti Démocratique du Québec

P.L.Q.   Parti libéral du Québec

P.Q.   Parti Québécois

P.S.D.   Parti social-démocratique

P.S.Q.   Parti socialiste du Québec

R.C.M.P. Royal Canadian Mounted Police

R.D.I.   Rassemblement démocratique pour l'indépendance

R.I.N.   Rassemblement pour l'indépendance nationale

R.M.S.   Regroupement des militants syndicaux

Introduction

L E Nouveau Parti Démocratique (N.P.D.) existe au Canada depuis vingt-cinq ans. Il a été fondé au mois d'août 1961. Depuis, il est parvenu à se tailler une place d'importance sur la scène politique canadienne.

Le N.P.D. tire ses origines d'une rupture du mouvement syndical canadien avec les partis libéral et conservateur, entre 1958 et 1961. À ce moment-là, le Congrès du travail du Canada, la centrale syndicale canadienne, et le Cooperative Commonwealth Federation / Parti social-démocratique, un parti de travailleurs et de fermiers fondé en 1932 au Canada anglais, joignent leurs efforts pour lancer la nouvelle formation politique. Le parti s'appuie dès le départ sur l'insatisfaction croissante des travailleurs du Canada anglais et du Québec à l'égard des *vieux* partis. Il traduit, par sa fondation, une aspiration du mouvement ouvrier à l'action politique indépendante sur la scène fédérale comme dans chacune des provinces. Conséquemment, en 1961, une bonne part des espoirs du mouvement ouvrier se concentrent derrière ce *Nouveau Parti*, perçu comme l'instrument qui va modifier la carte politique du pays.

* * *

Au Canada anglais, ces espoirs vont se matérialiser au fil des ans. S'appuyant toujours fortement sur le mouvement ouvrier organisé, en particulier sur le C.T.C. et ses syndicats affiliés, le N.P.D. tire de là une force et un enracinement qui lui assurent encore aujourd'hui une stature de parti de masse.

Au Québec, la situation prend un tour tout à fait différent. Les espoirs exprimés au congrès de fondation s'estompent rapidement. Le parti s'avère incapable de s'implanter sérieusement sur la scène fédérale au Québec, incapable même de se créer comme parti provincial avant 1965. Des efforts initiaux à ceux de Robert Cliche, puis à ceux de Raymond Laliberté, etc., le N.P.D. au Québec vit dans l'impasse depuis 25 ans.

En 1971, résumant en quelque sorte cette situation, Raymond Laliberté déclare que le parti «tout comme le C.C.F. il y a quarante ans, n'a jamais pris racine au Québec».

Cette incapacité du N.P.D. de se tailler une place significative parmi le peuple québécois est une réalité bien connue. Il s'agit d'une constatation largement répandue non seulement chez les observateurs de la scène politique mais dans la population en général. Cette constatation découle en quelque sorte des résultats du N.P.D. sur la scène électorale au Québec. Au plan fédéral, le pourcentage des voix recueillies par le N.P.D. n'a jamais dépassé 10%, sauf en 1965 avec Robert Cliche à la tête de la section québécoise. Au plan provincial, les participations de 1970 et de 1976 se sont avérées des expériences désastreuses quant au vote récolté. Par ailleurs, le parti au Québec n'a jamais obtenu d'adhésions massives de membres. Tout au plus a-t-il compté, dans les meilleurs moments, quelques milliers de membres provenant en majeure partie d'affiliations syndicales.

L'impasse est réelle; mais quelle en est la cause, ou quelles en sont les causes?

*   *   *

Des réponses à cette interrogation sont venues du mouvement ouvrier ou d'observateurs de la vie politique. Ainsi, le *Monde Ouvrier,* organe de la Fédération des travailleurs du Québec, faisant le bilan de la relation F.T.Q.-N.P.D. depuis la fondation du parti, exprime, en 1969, le point de vue selon lequel les travailleurs à la base n'étaient pas prêts à l'origine à endosser le N.P.D.. Une période d'éducation politique aurait dû précéder cet engagement.

> La F.T.Q., exprime le journal, a mis la charrue devant les bœufs, en décidant d'appuyer officiellement le N.P.D. fédéral en 1961, sans d'abord s'assurer de l'existence d'un mouvement favorable à la base et sans avoir fait de l'éducation politique qui aurait peut-être permis la formation d'un tel mouvement.

Cette explication attribue l'impasse au manque de préparation et d'éducation politique des travailleurs; la faute des dirigeants serait d'avoir ignoré ces conditions.

Pour sa part, l'historien Desmond Morton, dans son livre intitulé : *N.P.D., the dream of power,* explique cet état de fait par «l'absence d'une tradition politique populiste ou même ouvrière» au Québec. Cette explication tend à imputer la responsabilité de l'impasse dans laquelle se trouve le N.P.D. au mouvement ouvrier québécois.

Dans son ouvrage sur le syndicalisme québécois, Louis-Marie Tremblay invoque «l'apathie des membres» des syndicats. Il indique également deux autres facteurs : le manque de conviction des directions du mouvement ouvrier organisé et la distance entretenue par le N.P.D. vis-à-vis de la réalité québécoise.

D'autres observateurs, tel André Laurendeau, notent quant à eux que le Nouveau Parti Démocratique en formation de 1958 à 1961 est, par sa nature même, un parti du Canada anglais et qu'il est donc réfractaire aux aspirations nationales des Québécois.

David Sherwood, pour un, attribue les difficultés d'implantation du N.P.D.-Québec au nationalisme montant au Québec même et aux divisions que ce nationalisme a entraînées dans les rangs du parti de 1961 à 1963, année de la scission et de la fondation du Parti socialiste du Québec. Dans son étude intitulée : *The N.P.D. and French Canada,* il écrit : «L'échec électoral total au Québec s'est avéré une surprise et, dans une large mesure, fut le résultat d'une division interne menaçante au sein du parti dans cette province».

Enfin, Roch Denis, auteur de *Luttes de classes et question nationale au Québec,* distingue deux étapes dans la tentative d'édification du N.P.D. : la première qui va jusqu'au congrès de fondation en août 1961, la deuxième qui concentre les tentatives de construction du parti au Québec de 1961 à 1963. C'est en liaison avec cette deuxième étape que l'auteur conclut à l'échec du Nouveau Parti Démocratique au Québec, alors que survient l'éclatement du Conseil provisoire du parti dans la province, résultat lui-même de dissensions internes principalement centrées sur la question nationale.

Quelle part faut-il faire à ces diverses explications des causes de l'impasse du N.P.D. au Québec. Est-il possible de penser que ce parti puisse aujourd'hui être relancé au Québec et devenir un parti fort et enraciné chez le peuple québécois?

La réponse à ces questions se trouve dans l'analyse des 25 années d'histoire du N.P.D. sur la scène québécoise. C'est à quoi ce livre vise, voulant contribuer à l'élaboration d'une synthèse sur les conditions de fondation et de développement du N.P.D. en rapport avec la question nationale qui est le cœur des difficultés immenses qu'a toujours rencontrées ce parti au Québec.

*   *   *

Le livre étudie la période qui va de l'appel à la fondation d'un nouveau parti, en 1958, au congrès du N.P.D.-Québec des 30 et 31 mars 1985.

La *première* partie est consacrée à l'étude des origines immédiates du N.P.D.. Elle permet de situer le contexte politique général dans lequel s'est opérée la naissance du parti de 1958 à 1961. Elle examine la situation sociale et économique du moment, au niveau fédéral et provincial, tout comme l'état dans lequel se trouvent les gouvernements en place et les *vieux* partis. Une attention particulière est portée à la façon dont s'expriment au début des années 60 les revendications nationales au Québec. Ces aspirations influent considérablement sur la fondation du N.P.D.. Enfin, cette partie se termine par un tour d'horizon sur l'action politique ouvrière, ses signes, ses développements et ses limites à la fin des années 50, soit à la toute veille de la création du N.P.D.. L'expérience et l'échec du P.S.D. au Québec y sont abordés, ainsi que les enseignements qui s'en dégagent en rapport avec la question nationale, avant la fondation du N.P.D..

Dans la *deuxième* partie, le processus de fondation du parti, en rapport avec la question nationale, est examiné en détail. Dans un premier temps, c'est l'examen des premiers grands développements de 1958 à 1960, particulièrement l'évolution de la construction du parti au Québec. Cette analyse inclut le résultat du congrès du C.T.C. en 1958, le coup d'envoi du Nouveau Parti, la formation du Comité national du Nouveau Parti, son développement, l'accueil et l'ampleur qu'il prend au Québec. Cette partie est aussi largement consacrée à l'examen de la façon dont se pose la question nationale dans le processus d'édification du parti : d'abord dans les projets de programme et de statuts, dans les positions du Comité national, puis dans le C.C.F.-P.S.D., et dans les centrales syndicales au Québec, particulièrement à la F.T.Q.. Les débats au sein du Comité provincial du Nouveau Parti au Québec, de janvier à juillet 1961, font l'objet d'une attention spéciale, puisque c'est dans cette période que la question nationale prend toute sa place dans les préparatifs de fondation du N.P.D.. Cette deuxième partie se termine par l'étude des débats et des résultats du Colloque du Nouveau Parti au Québec les 17 et 18 juin 1961, quelques semaines avant le congrès de fondation.

La *troisième* partie est consacrée au congrès de fondation lui-même et aux débats relatifs à la question nationale. Les préparatifs de dernière heure et leurs implications y sont analysés, mais cette analyse porte surtout sur le déroulement du congrès et l'évolution au jour le jour du dossier de la question nationale, lui-même centré sur la «thèse des deux nations». Sont également analysés les résultats du congrès ainsi que les réactions publiques qui s'en suivent.

La *quatrième* et dernière partie est consacrée entièrement à l'évolution du N.P.D. au Québec après 1961. Y est dressé le tableau de l'évolution du parti au cours de quelques 25 ans, c'est-à-dire de 1961 à 1985. Il s'agit de la section la plus longue de l'ouvrage mais, en retour, la période étudiée est beaucoup plus étendue que celle couverte par les trois premières parties. Par conséquent, le rythme y est plus accéléré même si le fil conducteur reste le même : la question nationale.

Cette partie traite essentiellement de deux questions majeures. La première est celle de l'orientation de la direction du N.P.D. sur le fédéralisme et la «question du Québec» de 1961 à 1985. Sont ainsi mis en évidence sa position face au déferlement de la crise de la «Confédération» au cours des années 60, son engagement dans la coalition Pro-Canada, son attitude vis-à-vis du référendum québécois de mai 1980 et du «coup de force constitutionnel» de 1981. Les débats et les moments de crise au sein du parti à propos de la question du droit à l'autodétermination du peuple québécois reçoivent une attention toute particulière.

La deuxième question majeure abordée concerne les événements que traverse le N.P.D.-Québec de 1961 à 1985 : l'éclatement de 1963, la reprise en mains par Robert Cliche, celle de Raymond Laliberté et, plus près de nous, les présidences d'Henri-François Gautrin et de Jean-Denis Lavigne. Enfin, cette partie est complétée par un coup d'œil sur la situation politique au Québec au début de l'année 1985 et sur la tentative de relance du N.P.D. au Québec par John Harney et la direction fédérale.

Enfin, ce livre se termine par un bilan de la fondation et de l'évolution du N.P.D. par rapport à la question du Québec. Les conclusions dégagées permettent de mieux voir où va le N.P.D., et quel est son avenir prévisible au Québec et à l'échelle de tout le Canada.

Première partie
AUX ORIGINES DU N.P.D.

À la fin des années 50 au Canada, le projet de fondation d'une «troisième voie» politique s'élabore dans les rangs du mouvement ouvrier organisé, particulièrement au sein du Congrès du travail du Canada et du C.C.F. (Cooperative Commonwealth Federation).

L'analyse des conditions qui favorisent l'émergence de ce projet politique au sein du mouvement ouvrier ne peut être menée à bien sans une délimitation préliminaire et précise du contexte économique, social et politique qui prévaut au Canada et au Québec au cours de ces mêmes années. Notre point de départ consiste donc à identifier les fondements politiques généraux qui entourent la fondation du Nouveau Parti et qui agissent directement sur les débats préparatoires dans ses rangs pendant toute la période de fondation qui s'étend de 1958 à 1961.

Les trois premiers chapitres consistent en un rappel de la conjoncture entourant la fondation du Nouveau Parti; ils prennent appui sur un certain nombre de sources connues et de recherches déjà publiées sur le sujet. Cette analyse inclut un aperçu général de la situation économique et sociale et insiste sur l'état des relations de travail pendant la période étudiée. Elle s'attarde aussi sur la situation politique en tant que telle, aussi bien au niveau fédéral que provincial.

Au centre des problèmes politiques qui surgissent dans cette période précise, se trouve la question de l'oppression nationale des Québécois. Cette question est examinée avec une attention particulière puisqu'il s'agit de la question de fond retenue dans l'analyse de la fondation du Nouveau Parti.

Enfin, dans le dernier chapitre, nous effectuons une étude des manifestations de l'action politique ouvrière dans le mouvement syndical canadien et québécois à la fin des années 50. Nous y dressons aussi un bilan politique de l'activité du C.C.F.-P.S.D. au Québec, bilan dont les conséquences ne manquent pas d'influencer les conditions de lancement du Nouveau Parti, ainsi que la façon dont les dirigeants du parti entendent mener le débat sur la question nationale, à sa fondation.

Il importe de souligner que cette première partie occupe une place déterminante dans ce livre. En effet, elle encadre tous les développements ultérieurs entourant la création du Nouveau Parti.

Chapitre 1

LA SITUATION ÉCONOMIQUE ET SOCIALE AU CANADA ET AU QUÉBEC À LA VEILLE DES ANNÉES 60

L A majorité des politicologues ou des historiens qui ont étudié la période des années 50 au Canada la considèrent comme une période de «stabilité» voire même de «boom» sur le plan économique. L'économie canadienne, en comparaison avec les vingt années précédentes secouées par la grande crise des années 30 et les séquelles de la Deuxième Guerre mondiale, ne connaît pas de graves perturbations, du moins au début de la décennie. La période d'après-guerre aurait apporté, selon plusieurs, une relative «prospérité» accompagnée d'un certain rythme industriel, d'une baisse du chômage, d'une augmentation des investissements, etc.. Léo Zakuta décrit le contexte en ces termes :

> Les années 50, dans l'ensemble, ont représenté une période pacifique et prospère pour le Canada. Les Canadiens considèrent que leur grande économie se développe largement et peu de questions les divisent passionnément au pays. Les salaires et l'emploi étaient élevés et là où la malchance économique frappait, ses victimes bénéficiaient souvent d'une certaine protection grâce aux mesures sociales qui avaient commencé à être instaurées à la fin de la guerre et qui sont demeurées ensuite[1].

L'historien Jean-Claude Robert dégage à peu près les mêmes conclusions en comparant les années 50 avec celles qui ont précédé :

> Dans les années cinquante, les Canadiens-français découvrent l'aisance économique; évidemment les salaires sont toujours moins bons au Québec qu'ailleurs, le chômage y est plus fort,

---

1 ZAKUTA, Leo, *A protest movement becalmed (a study of change in the C.C.F.)*, Toronto, University of Toronto Press, 1964, p. 85. La traduction est de nous.

mais ces faiblesses structurales de l'économie n'empêchent pas l'amélioration par rapport à la situation antérieure[2].

En 1958, le gouvernement conservateur de Diefenbaker, arrivé au pouvoir l'année précédente, rend publiques les conclusions du Rapport de la *Commission royale d'enquête sur les perspectives économiques,* rapport présenté par Walter Gordon qui deviendra lui-même, en 1963, ministre dans le gouvernement libéral de Leaster B. Pearson.

Les conclusions de ce rapport sont très optimistes. Non seulement le Canada, au cours des années 50, connaît-il une relative «prospérité», mais Gordon prévoit même le maintien de la progression économique pour les vingt ou trente années à venir :

> L'avenir économique qui attend le Canada est bien de nature à soulever l'enthousiasme. Cet avenir, une guerre atomique le réduirait à néant et un grand marasme économique le compromettrait ... À défaut de ces deux catastrophes que le génie humain devrait à coup sûr prévoir éviter, les vingt ou trente prochaines années apporteront une grande prospérité aux Canadiens[3].

En réalité, ces airs d'optimisme cachent mal une situation économique qui, dès l'année 1957, commence à se détériorer considérablement.

A. La récession, le chômage

En décembre 1957, selon le Bureau fédéral de la statistique, le chômage atteint le taux de 8,6% de la main d'œuvre, c'est-à-dire 416 000 chômeurs[4]. Au mois d'octobre, dans son mémoire annuel remis au gouvernement fédéral, le Congrès du travail du Canada déclare que la situation économique, particulièrement la hausse fulgurante du chômage, lui cause «une certaine inquiétude»[5].

Mais le taux de chômage ne cesse de grimper jusqu'au début des années 60, et l'inflation connaît également une forte courbe ascendante. Par exemple, en mars 1958, l'indice des prix à la consommation arrive à un moment au chiffre de 124,3, en regard de 123,7 en février de la même année[6].

---

2 ROBERT, Jean-Claude, *Du Canada français au Québec libre, (Histoire du mouvement indépendantiste),* Ottawa, éd. Flammarion, coll. «Histoire Vivante», 1975, p. 192.

3 *La Presse,* le 8 avril 1958.

4 «Two sets of Unemployment figures,» *Canadian Labour,* février 1958.

5 *Le Travailleur Canadien,* novembre 1957, p. 37.

6 *La Presse,* 5 avril 1958.

Le «brillant avenir promis au Canada»[7] n'est pas sans nuages. Le 28 février 1958, le Conseil exécutif du C.T.C. fait une déclaration publique à propos de la situation de l'emploi au Canada :

> Le Canada traverse actuellement sa plus sérieuse crise de chômage depuis celle des années 1930 lors de la dépression. Aucune joute politique, chacun se renvoyant mutuellement la balle, ne peut changer les faits : au moins un ouvrier sur huit est sans travail. C'est une situation qui réclame une action immédiate et courageuse. Il est perfide de jeter un regard optimiste sur la question et de prétendre que si l'on arrête de parler du chômage, il disparaîtra. Les employeurs ont été socialement irréfléchis; ils sont la cause du chômage mais n'ont rien fait pour y remédier[8].

En janvier 1959, le taux de chômage grimpe à 8,9% avec 538 000 chômeurs[9], tandis qu'il atteint en avril 1961, c'est-à-dire à la veille de la fondation du Nouveau Parti, le chiffre record de 11,1% avec 664 000 sans emploi au Canada. Au même moment, le Québec et les Maritimes sont plus durement touchées encore, avec respectivement 15% et 18% de chômage, ce qui signifie 218 000 sans emploi dans le premier cas et 101 000 dans l'autre[10]. À la mi-février de la même année, le nombre des chômeurs est passé à 719 000, soit 11,3% de la force ouvrière totale, ce qui est un sommet inégalé dans toute la période d'après-guerre. Pour ce mois de février de 1961, le Québec est tout particulièrement touché avec 37% du total des chômeurs au Canada.

Ces quelques chiffres en disent long. La fin des années 50, plus particulièrement l'année 1958, ouvre une période de récession économique marquée par une hausse sans précédent du chômage et de l'inflation. Et cette récession agit directement sur le développement des rapports sociaux dont les relations patronales-ouvrières sont une composante.

B. Les relations de travail

Cette période est marquée par la dureté des relations de travail partout au Canada; les grèves sont dures et longues, les

---

7 Selon les termes utilisés par le journal *La Presse* pour qualifier les conclusions du rapport Gordon.

8 «Déclaration du Conseil exécutif du C.T.C.», Ottawa, 28 février 1958, reproduite dans le numéro du *Travailleur Canadien* de mars 1958.

9 Selon le Bureau fédéral de la statistique. Tiré de «Unemployment and Inflationary pressure», le *Travailleur Canadien*, avril 1959, p. 25.

10 *Le Devoir*, 19 avril 1961.

augmentations salariales très faibles et difficilement arrachées au patronat[11], tandis que les syndicats voient s'accroître les mesures législatives gouvernementales destinées à enrayer ou à contenir leur élan, que ce soit au Québec, en Colombie-Britannique ou à Terre-Neuve.

Tout comme aux États-Unis d'ailleurs, on assiste à l'adoption de multiples lois dirigées contre le mouvement syndical. Qu'il suffise, pour les États-Unis, de mentionner la loi Taft-Hartley (1947) et la loi Landrum-Griffin (1959), ou les lois 19 et 20 édictées par le gouvernement Duplessis au Québec en 1954, ou encore, la loi 43 en Colombie-Britannique. Le Canada est profondément marqué par la période de la «guerre froide» à l'échelle internationale; cette période est reflétée, sur tout le continent américain, par ce qu'il est convenu d'appeler communément le «maccarthysme» et la «chasse au communisme»[12].

En 1957 et 1958, les relations de travail au Canada et au Québec sont en outre caractérisées par l'accentuation de la violence dans les conflits. Au Québec, sous le règne du Premier ministre Maurice Duplessis, les grandes grèves de Murdochville ou d'Arvida en 1957 sont les plus marquantes.

Ces deux conflits ne sont pas des exemples isolés mais s'insèrent dans une série d'affrontements, tous marqués par la répression et la violence policière : Lachute et Asbestos en 1949, Louiseville et Dupuis Frères en 1952, etc..

À Terre-Neuve en 1959, la grève des bûcherons est considérée comme un «test» pour tout le mouvement syndical canadien[13]. Le gouvernement libéral de Joey Smallwood entreprend de la briser avec l'aide de la R.C.M.P. (Royal Canadian Mounted Police); il procède à la décertification et à la mise hors-la-loi du syndicat des bûcherons affilié à l'Union internationale des travailleurs du Bois d'Amérique. Ce geste, appuyé par le parti conservateur, donc l'opposition, est considéré par le mouvement syndical comme une attaque en règle contre le droit de s'organiser pour les travailleurs.

---

11 Entre octobre 1957 et mars 1958 au Canada, sur un échantillon de 265 entreprises, 44% des ententes négociées prévoyaient 5 cents d'augmentation de l'heure et moins. Voir LIPTON, Charles, *The Trade Union Movement in Canada 1827-1959*, Montréal, NC Press, 1973, p. 311.

12 À ce sujet, voir le texte d'Hélène DAVID intitulé «L'état des rapports de classe au Québec de 1945 à 1967», revue *Sociologie et Sociétés*, vol. VII, no 2, p. 37, ainsi que le livre de Roch DENIS, *Luttes de classes et question nationale au Québec, 1948-1968*, Montréal/Paris, Presses socialistes internationales/Études et Documentation Internationales, 1979, p. 142-144.

13 LIPTON, Charles, *The Trade Union Movement in Canada, 1827-1959*, Montréal, NC Press, 1973, p. 314.

Lors de la grève de Murdochville, Théo Gagné, président du syndicat, Émile Boudreau, et Louis Laberge du Conseil du travail de Montréal.

En Colombie-Britannique, le mouvement syndical fait face aux mêmes attaques. En 1959, le gouvernement créditiste de W. Bennett fait adopter la loi 43 qui permet l'émission d'injonctions contre le droit de piquetage des syndicats et qui autorise les poursuites judiciaires contre les syndicats en grève. Doug Hamilton, secrétaire-trésorier de la Fédération du travail de l'Ontario, déclare que cette loi équivaut à une destruction des droits acquis par les travailleurs depuis plus d'un siècle, celui de faire grève[14].

Ces différents conflits au Québec, en Colombie-Britannique, à Terre-Neuve et ailleurs au Canada deviennent, dès 1957, le point d'appui de mobilisations centrales dans le mouvement ouvrier. Au Québec, la grève de Murdochville donne lieu à la constitution d'un front commun des organisations ouvrières : une «marche» sur Murdochville est organisée; l'éventualité d'une grève générale au Québec contre le gouvernement Duplessis est à nouveau envisagée dans les rangs du mouvement syndical[15].

Au congrès de la F.T.Q. de novembre 1957, une proposition en ce sens est débattue. La proposition est finalement rejetée grâce à l'intervention de la direction de la centrale, mais 40% des délégués ont appuyé cette proposition, ce qui témoigne de l'écho important qu'elle rencontre chez les travailleurs organisés[16]. En Colombie-Britannique, une situation similaire est en train de germer dans les rangs du mouvement syndical; face aux attaques du gouvernement Bennett, explique Charles Lipton, «il y avait un sentiment répandu selon lequel le mouvement ouvrier devait déclencher une grève générale contre le bill 43»[17]. Un congrès spécial de la Fédération du travail de Colombie-Britannique est convoqué en 1959 afin d'examiner les actions susceptibles d'être entreprises : cependant, à ce congrès, la direction de la Fédération refuse de proposer une grève générale, et la question demeure en suspens[18].

---

14 HAMILTON, Doug, «Why Labour must be political», *Le Travailleur canadien,* juillet-août 1959, p. 44.

15 La question avait été déjà soulevée dans le mouvement syndical, notamment en 1952, au moment de la grève de Louiseville; la C.T.C.C., centrale syndicale catholique fondée en 1921, avait décidé le principe d'une grève générale : mais sa direction a finalement renoncé. Voir à ce sujet : C. Lipton, *op. cit.,* p. 326.

16 *Le Monde Ouvrier,* novembre 1957.

17 LIPTON, Charles, *op. cit.,* p. 316.

18 *Ibid,* p. 316.

C. Une forte tendance à l'unité syndicale

Ce contexte d'affrontements nourrit l'aspiration à l'unité des organisations ouvrières. Dès 1949, un appel à l'union des forces syndicales au Canada a été lancé : à son congrès annuel, le Congrès canadien du travail (C.I.O.)[19] invite toutes les organisations syndicales à s'engager dans la réalisation de l'unité. À cette date, soulignons-le, il existe au Canada une autre centrale syndicale, le Congrès des métiers et du travail du Canada, regroupant depuis la fin du XIXème siècle les unions internationales affiliées à l'American Federation of Labor (A.F.L.) aux États-Unis. Il faut aussi compter la Confédération des travailleurs catholiques du Canada (C.T.C.C.) fondée par l'Église catholique en 1921, dont le rayon d'action est essentiellement québécois.

Ce mouvement amorcé par le Congrès canadien du Travail n'est pas isolé. Au Québec, par exemple, pour faire face au projet de code du travail présenté par Duplessis à l'Assemblée législative en 1949, les trois grandes centrales syndicales ont constitué une «Conférence conjointe des organisations ouvrières du Québec»; elle a été conçue, à l'origine, comme une structure permanente[20].

De 1949 à 1957, cette poussée de l'action unitaire est renforcée par le processus d'unité des centrales syndicales qui s'amorce aux États-Unis à partir de 1954. L'année suivante, aux États-Unis, la fusion est réalisée entre l'A.F.L. et le C.I.O.; au Canada et au Québec, l'éventualité d'une fusion des différentes centrales se dessine de plus en plus clairement. Cette unité, espère-t-on, signifierait la fin du régime de concurrence et de division entre unions rivales qui avait été utilisé par les gouvernements en place pour affaiblir le mouvement syndical.

La tendance à l'unité est très forte au Québec :

Après l'échec de la grève de Murdochville la collaboration entre les centrales se poursuit; elles présentent des mémoires conjoints à différents organismes, soutiennent l'Alliance des professeurs à une occasion etc .. Ceux qui, quelques années auparavant se permettaient des commentaires hostiles à l'égard d'autres centrales ou même d'autres syndicats internationaux, attaquent maintenant violemment le régime Duplessis pour sa collusion

---

19 Centrale syndicale canadienne fondée en 1940 grâce à la fusion du Congrès pan-canadien du travail (1927) avec les organisations syndicales affiliées au Comité canadien du C.I.O., syndicat industriel fondé aux États-Unis en 1935.

20 FORSEY, Eugene, «The movement towards Labour Unity in Canada : history and implications», *Canadian Journal of Economics and Political Science*, no. XXIV, février 1958, p. 73.

avec le patronat des grandes entreprises. À partir de 1957, l'unité d'action rejoint donc les grands moments de 1949 et l'unité organique est partiellement réalisée[21].

L'éditorial du journal *Le Monde Ouvrier* d'avril 1956 reflète aussi pleinement ce climat :

> Nous sommes d'avis qu'une Fédération des travailleurs du Québec forte de trois cent mille ouvriers syndiqués, comprenant des membres du C.M.T.C., du C.C.T. et de la C.T.C.C., pourrait beaucoup mieux servir et même protéger les intérêts des ouvriers du Québec, et défendre leur langue, leurs mœurs et leurs traditions.
>
> Divisés, les ouvriers du Québec ont été exploités par un grand nombre d'employeurs et les gouvernements ont fait fi de leurs revendications. Ce n'est qu'unis en une seule et unique Fédération que les ouvriers pourront être davantage respectés et obtenir justice. Si la dualité demeurait au Québec, la force ouvrière n'en serait qu'affaiblie surtout dans la grande industrie internationale. Le capitalisme a tout intérêt à nous DIVISER POUR RÉGNER! Ne l'oublions pas. Pour lutter d'égal à égal avec des trusts puissants, il faut être aussi puissants qu'eux. Ne l'oublions pas non plus.

En 1956, l'unité franchit un pas en avant important. Le Congrès des métiers et du travail du Canada et le Congrès canadien du Travail fusionnent au Canada pour former le Congrès du travail du Canada. En 1957, leurs sections respectives au Québec en font de même : la Fédération du travail du Québec (C.M.T.C.) et la Fédération des unions industrielles (C.C.T.) fusionnent et fondent la Fédération des travailleurs du Québec[22].

Cependant la C.T.C.C. ne fusionnera pas avec le C.T.C.[23]. Mais la poussée vers l'action unie demeurera très forte entre 1955 et 1960.

Ainsi, c'est dans le contexte de la récession économique et du chômage de la fin des années 50, face aux législations répressives des gouvernements et en s'appuyant sur la combativité accrue des travailleurs et sur l'aspiration à l'unité au sein du mouvement syndical, que le projet de création d'un nouveau parti allait germer et finalement voir le jour.

---

21 DAVID, Hélène, *op. cit.,* p. 50.

22 La Fédération du travail du Québec fut constituée en 1935 par un rassemblement de syndicats affiliés à l'American Federation of Labor. De son côté, la F.U.I.Q., affiliée au C.C.T., fut fondée en 1952.

23 Il semble que la C.T.C.C. ait revendiqué le statut d'«Union nationale» au sein de la nouvelle centrale, ce que le C.T.C. aurait refusé tout en proposant une affiliation directe des fédérations de la C.T.C.C. à la nouvelle centrale. Des cas de maraudage auraient aussi contribué à l'échec des pourparlers.

Chapitre 2

UN CONTEXTE POLITIQUE FAVORABLE AU NOUVEAU PARTI : L'ÉCHEC DES GOUVERNEMENTS EN PLACE

L ES politiques menées par le gouvernement conservateur de Diefenbaker et les autres gouvernements provinciaux renforcent progressivement, parmi des couches plus nombreuses de travailleurs, la conviction selon laquelle tous les «vieux» partis, les uns comme les autres, ont complètement failli à la tâche de résoudre les problèmes économiques et sociaux du pays et que, conséquemment, le moment est venu de travailler à la fondation d'un nouveau parti destiné à défendre les intérêts de la population laborieuse.

A. L'échec des «vieux» partis

Comme nous l'avons constaté précédemment, les attaques portées contre le mouvement syndical et l'exercice des libertés démocratiques ne sont pas le monopole d'un seul parti ou d'un seul gouvernement; les conservateurs en Ontario, les créditistes en Colombie-Britannique, l'Union nationale au Québec, les libéraux à Terre-Neuve, tous sont associés publiquement à ces actes politiques. Quand ils sont dans l'opposition, les libéraux, comme les conservateurs, dans l'ensemble des provinces, ne ripostent nullement à ces diverses mesures gouvernementales.

Au Québec, cette réalité crève les yeux. En 1956, l'Union nationale remporte les élections à nouveau avec 51,5% des voix et 72 sièges, tandis que le parti libéral récolte 44,8% des voix avec 20 sièges[1].

Mais jusqu'à la toute fin des années 50, le parti libéral est majoritaire au Conseil législatif, ce qui lui laisse la possibilité

---

[1] LEMIEUX, Vincent, *Quatre élections provinciales au Québec 1956-1966,* Québec, Presses de l'Université Laval, 1969, p. 9 et 10. L'Union nationale est alors au pouvoir sans interruption depuis 1944.

d'utiliser cette position pour s'opposer aux lois anti-démo-
cratiques et répressives présentées par le gouvernement
Duplessis.

Mais il ne le fera pas. Devant les grands scandales politiques de la fin des années 50 au Québec, celui du gaz naturel,
celui de la vente du minerai de fer de la Baie d'Ungava à des
taux dérisoires, et ainsi de suite, le parti libéral n'organise
aucune opposition. L'adoption des lois 19, 20, 34 et 27 est
entérinée au Conseil législatif grâce à son appui.

C'est ce que souligne Pierre Elliott Trudeau, dans son
Manifeste Démocratique d'octobre 1958, quand il déclare :

> Presque toutes les mauvaises lois de M. Duplessis, y compris les
> bill 19 et 20, le bill 34, le bill 27, etc. ont été adoptés grâce à la
> complicité du parti libéral. Jusqu'à tout dernièrement, ce parti était
> majoritaire au Conseil législatif, et conséquemment il aurait pu
> empêcher l'adoption de n'importe quelle loi. Or, loin de s'opposer,
> il a même pris l'initiative de présenter des lois douteuses[2].

Et il ajoute : «la sphère politique au Québec est devenue 'un
clearing-house' entre les intérêts cléricaux et les intérêts
financiers»[3].

Deux ans plus tard, Trudeau précisera sa pensée en ces
termes :

> Depuis seize ans la Province croupissait sous un gouvernement
> incompétent, tyrannique et rétrograde. Ce régime appuyé sur le
> lucre, l'ambition et le goût de l'arbitraire, n'aurait cependant pas
> été possible sans la lâcheté et la complaisance de presque tous
> ceux qui exerçaient de l'autorité, commandaient de l'influence ou
> dirigeaient l'opinion publique. Même après la loi du cadenas et
> l'affaire Roncarelli, même après Lachute, Asbestos, Louiseville et
> Murdochville, même après les lois rétroactives et le bill 34, même
> après la sape du parlementarisme et de la règle de droit, après
> même les octrois discrétionnaires, les scandales et la chasse aux
> sorcières, ils ne sont pas nombreux ceux de nos «élites» qui se
> sont dissociés publiquement du duplessisme[4].

Cette réflexion s'adresse entre autre au parti libéral, dont la politique et les sources de financement sont pour l'essentiel identiques à celles de l'Union nationale[5].

---

2 TRUDEAU, P. E., «Un manifeste démocratique», *Cité Libre,* octobre, 1958, p.
   5.
3 *Ibid,* p. 16.
4 TRUDEAU, P. E., «L'élection du 22 juin 1960», *Cité Libre,* août-septembre
   1960, no 29, p. 3.
5 DAVID, Hélène, *op. cit.* p. 49.

Bien qu'il n'y ait pas d'alternative pour canaliser l'opposition à Duplessis, celle-ci continue de s'amplifier. Hélène David écrit :

> L'opposition au régime, qui vient de différentes sources, s'accroît néanmoins à la suite des élections de 1956 et donne lieu à différentes tentatives d'alliance afin de faire échec au régime. Aux deux centrales syndicales, qui ont été presque seules à faire une lutte constante et soutenue au régime, s'ajoute maintenant la voix d'une partie du clergé qui s'oppose ouvertement au régime dans certaines de ses publications; cette opposition se prolonge dans les ligues de moralité regroupant des citoyens qui préconisent le respect des règles démocratiques dans le processus électoral et l'administration publique. *Le Devoir,* quotidien nationaliste, accentue ses attaques de longue date contre le régime sur tous les plans, et fait souvent sa manchette des cas scandaleux de corruption dans l'administration publique. Divers autres groupes mineurs, politiques ou intellectuels, contestent également la légitimité du régime. Ces quelques expressions ouvertes d'opposition ne sont qu'un indice d'une hostilité grandissante au régime qui déborde largement la recension de ses manifestations explicites; l'effervescence des années postérieures à 1960 le démontrera bien[6].

B. Un mûrissement politique chez les travailleurs

Au Canada, la baisse de «popularité» des partis et gouvernements qui dominent la scène politique peut aussi être observée. Desmond Morton écrit :

> La récession économique engendra une désillusion rapide envers le gouvernement Diefenbaker. Les travailleurs étaient consternés devant le chômage croissant atteignant le demi-million de sans emploi à l'hiver 1960. Les dirigeants syndicaux considéraient que les libéraux n'étaient guère mieux surtout après que le gouvernement Smallwood, à Terre-Neuve, eut cassé la grève des bûcherons et virtuellement expulsé le syndicalisme libre de cette province sans protestation des libéraux fédéraux[7].

Ces conditions constituent un terrain propice pour la recherche d'une alternative aux conservateurs et aux libéraux. Paul Nogaret, du journal *Le Travail* de la C.S.N., situe ainsi les facteurs qui ont favorisé la création du Nouveau Parti :

> Ajoutons par ailleurs, écrit-il, que les circonstances ont aidé la cause des propagandistes du nouveau parti. Le gouvernement

---

6 DAVID, Hélène, *op. cit.,* p. 48.
7 MORTON, Desmond, *N.P.D., The dream of power,* Toronto, Hakkert, 1974, p. 21. La traduction est de nous.

conservateur a failli à la tâche sur plusieurs fronts : le chômage a atteint de nouveaux sommets, la situation économique s'est détériorée, l'entreprise privée a empiété sur la fonction publique au désavantage de la majorité des citoyens. C'était facile de miser là-dessus pour persuader les syndicats hésitants à appuyer un instrument politique qui leur serait propre ... La politique d'indécision et d'indifférence du gouvernement Diefenbaker à l'égard des problèmes de la classe ouvrière a confirmé à nouveau la validité de cet argument et a profité aux initiateurs d'un troisième parti[8].

Dans son livre sur le Nouveau Parti paru en 1961, Stanley Knowles écrit à son tour :

Non seulement le parti conservateur et le parti libéral se ressemblent de plus en plus, mais ils trouvent leur appui dans les mêmes secteurs de la population. Dans le monde des affaires, on apporte sa contribution indifféremment à l'un ou l'autre, les chances de succès constituant le seul critère ... Il est passablement évident qu'à l'heure actuelle, les deux grands partis se soucient assez peu d'élaborer une politique cohérente ou de donner une direction aux affaires de la nation ... Quant à l'électeur canadien, il ne peut trouver dans aucun de ces deux grands partis une véritable solution de rechange[9].

La conclusion logique qui découle de ce constat est l'appel à la constitution d'un «parti du travail» face aux partis capitalistes :

Nous devons en venir à la conclusion qu'il n'y a simplement aucune différence chez les partis libéral et conservateur. Ils sont tous les deux financés et contrôlés par le grand patronat. En conséquence, nous devons mettre sur pied un parti politique qui parle et agit pour le mouvement ouvrier[10].

Telle est l'opinion qui se répand de plus en plus au sein du mouvement ouvrier. Elle fait son chemin également au Québec, particulièrement dans les jours et les mois qui suivent la grève de Murdochville.

À l'été 1957, Roméo Mathieu, trésorier de la Fédération des travailleurs du Québec nouvellement créée, s'adresse en ces termes aux travailleurs de Murdochville en grève :

Il est particulièrement indispensable que le mouvement syndical entreprenne au plus vite l'éducation politique de ses membres ... Il serait normal et logique que des ouvriers comme vous résidant dans la région, puissent, devant un conflit comme celui que vous

8   NOGARET, Paul, «Un nouveau parti», journal Le Travail, C.S.N., 13 mai 1960, p. 6.

9   KNOWLES, Stanley, Le Nouveau Parti, Montréal, éd. du Jour, 1961, p. 123.

10 HAMILTON, Doug, «Why Labour must be political», Le Travailleur Canadien, juillet-août 1959, p. 44. La traduction est de nous.

connaissez actuellement, faire appel à leur député et lui demander de les accompagner pour aller présenter leurs plaintes au ministre du Travail ...

Je vous défie, qui que ce soit, d'obtenir ceci de celui qui vous représente au Parlement[11].

Le discours que prononce Roger Provost, président de la F.T.Q., à l'occasion de la Fête du travail, en septembre 1957, fait écho à cette aspiration grandissante pour l'action politique indépendante qui se répand dans le mouvement syndical :

...Travailleurs, dit-il, à quoi nous serviront nos victoires, nos luttes sur les lignes de piquetage tant que nous élirons des gouvernements contrôlés par les patrons qui, d'un trait de plume, ou par une décision administrative, rayeront d'un seul coup tous nos gains passés. Il n'y a qu'un endroit où nous gagnerons le droit d'association dans cette province et c'est au Parlement[12].

Mais au congrès de la F.T.Q., la même année, Provost ne s'en oppose pas moins farouchement à la création du parti des travailleurs[13].

Cette aspiration va se développer au sein de la F.T.Q. et pousser la centrale à emboîter le pas au projet de nouveau parti à partir de 1958.

---

11 *Le Monde Ouvrier*, juin-juillet 1957.
12 *Le Travailleur Canadien*, vol. 2, no 9, septembre 1957, p. 43.
13 Cf. p. 50.

Chapitre 3

LA CRISE DE LA CONFÉDÉRATION : L'ASCENSION DES REVENDICATIONS DÉMOCRATIQUES ET NATIONALES AU QUÉBEC

AU Québec, à cette contestation croissante des politiques sociales et économiques des gouvernements, s'ajoutent les premières manifestations d'un mouvement de revendications nationales.

À partir de cette date, commencent à être soulevées avec plus d'ampleur de sérieuses interrogations sur le sort des Canadiens-français ou des Québécois au sein de la fédération canadienne. Les droits du français au travail, dans l'administration publique ou sur le plan culturel, la discrimination sociale et économique que subissent les francophones dans le cadre du fédéralisme canadien, le droit à l'autodétermination du peuple du Québec, le caractère démocratique ou non de la «Confédération» édifiée en 1867, la question de l'indépendance du Québec, etc., toutes ces questions rebondissent au Canada pendant cette période et sont à l'origine de la formation de divers mouvements nationalistes au Québec.

Ces débats ne sont pas nouveaux mais prennent une ampleur nouvelle si on les compare aux crises successives qui, depuis 1867, ont marqué l'histoire de la fédération canadienne. L'allure des débats et l'approfondissement des dissensions entre d'une part l'État fédéral et les forces politiques qui composent avec lui, et d'autre part une part grandissante du peuple québécois, prendront très vite un caractère de crise politique majeure au début des années 60.

Comme l'explique Marc La Terreur,

Une agitation intense précipitée par la mort de Maurice Duplessis, remue le Québec pendant la période de l'administration de John Diefenbaker ... La mort prématurée de Sauvé n'arrête pas un mouvement qui semble irréversible ... Alors que l'on discute de nationalisme et do céparatisme, et que les journaux mentionnent ouvertement l'autodétermination, Jean Lesage met fin au règne de l'Union nationale et inaugure celui de la Révolution Tranquille ... On assiste ensuite au développement d'un processus d'accélération : au rythme où se multiplient les revendications nationalistes et se forment divers mouvements séparatistes. Les faits et gestes à incidence québécoise de l'administration Diefenbaker ne peuvent être détachés de ce contexte[1].

Comme nous le verrons, ce processus engagé au Québec aura des incidences directes au sein du Nouveau Parti en formation.

A. Le gouvernement Diefenbaker aux prises avec le Québec

La victoire électorale de Diefenbaker en 1957 est attribuable essentiellement au fort mouvement de rejet du parti libéral fédéral qui s'est manifesté déjà depuis quelques mois. Cependant, ce rejet ne s'exprime dans toute son ampleur qu'à l'élection de 1958, tout particulièrement au Québec où le parti conservateur a réussi à gagner 50 des 75 sièges.

Toutefois, l'animosité des Québécois vis-à-vis ce «nouveau» gouvernement ne tarde pas à se manifester. Une série d'événements tend à cristalliser cette situation.

Par exemple, au congrès à la «chefferie» du parti conservateur en décembre 1956, John Diefenbaker refuse de faire appuyer sa candidature par un francophone; pour protester, la délégation du Québec décide d'accorder publiquement son appui à la candidature de Donald Fleming[2]. Le journal *Le Devoir* du 14 décembre 1956, réagissant à l'événement, déclare en manchette que Diefenbaker est «honni par tous les Québécois».

Dans les années suivantes, des événements similaires se reproduisent à nouveau et provoquent des protestations politiques au Québec. Suite aux élections de juin 1957, le nouveau cabinet de Diefenbaker comprend un seul Canadien-français. Il s'agit de Léon Balcer, au poste de solliciteur général. «Aux Canadiens-français, Diefenbaker ne donne qu'un ministère fantôme», voilà en quels termes le journal *Le Devoir* accueille la décision du nouveau premier ministre.

Après les élections fédérales de 1958 où le parti conservateur obtient une éclatante majorité, Gordon Churchill, l'un des principaux ministres du gouvernement, confirme cette

---

1. LA TERREUR, Marc, *Les tribulations des conservateurs au Québec (de Bennet à Diefenbaker)*, Québec, Presses de l'Université Laval, 1973, p. 175-176.

2 *Le Devoir*, 14 décembre 1956.

orientation «anglo-saxonne» du cabinet en déclarant que les résultats démontrent que le Canada anglais peut se passer du Canada français et qu'il est donc possible pour un parti de former un gouvernement fédéral sans le Québec.

> Le séparatisme se ranima après la victoire retentissante des conservateurs en 1958 et la déclaration publique que fit Gordon Churchill ... Le séparatisme prit bientôt de l'ampleur. Puis dans l'Ouest, l'hostilité ouverte des partisans de Diefenbaker contre les Canadien-français catholiques, qui avaient beaucoup contribué à lui donner la majorité la plus considérable des annales politiques canadiennes, favorisa la croissance du séparatisme. De plus, pour satisfaire le Canada français, le gouvernement s'était borné à faire nommer un Canadien-français, le général Georges Vanier, gouverneur général, à émettre des chèques bilingues et à organiser un service d'interprétation simultanée des débats au parlement[3].

Vincent Lemieux fait, à peu près, le même raisonnement :

> La façon cavalière avec laquelle Diefenbaker traite les Canadiens-français au début de son mandat, ne nommant que d'obscures Canadiens-français à d'obscures fonctions dans le cabinet, répétant que le Québec était une province comme les autres, fait monter la fièvre nationaliste dans le Québec[4].

C'est un fait que le gouvernement Diefenbaker, par sa politique et son attitude ouvertement discriminatoires à l'endroit des Canadiens-français, contribue à alimenter les aspirations nationales au Québec. Mais celles-ci ont des racines évidemment beaucoup plus profondes. La conjoncture aussi favorise la résurgence des revendications contre l'oppression nationale. Comme l'explique Lemieux :

> Le climat d'ailleurs s'y prête. L'année 1957 marque vraiment la fin de la prospérité sans-à-coup de l'après-guerre. Aux prises avec un taux de chômage structurel élevé, de plus en plus conscient du bas niveau de vie de certains groupes sociaux et des faiblesses relatives de son secteur secondaire, le Québec commence à s'agiter. La jeunesse surtout qui éprouve de la difficulté à franchir le seuil des universités, qui voit les postes de commande dans l'industrie et le haut fonctionnarisme fédéral accaparés par une caste, exige des mesures[5].

Déjà, en février 1957, au colloque organisé en l'honneur de son 75e anniversaire de naissance, l'ancien premier ministre Louis

---

3 WADE, Mason, *Les Canadiens français de 1760 à nos jours,* Ottawa, Cercle du Livre de France, 1963, Tome II, p. 552.

4 LEMIEUX, Vincent, *op. cit.,* p. 11.

5 *Ibid.*

St-Laurent a tenu à traiter de la «question du Québec» dans son «message à la nation» : «l'unité nationale est la condition fondamentale de l'existence et du progrès du Canada en tant que nation». Par la même occasion, il exhorte «le Québec de cesser de s'interroger avec trop d'anxiété sur son avenir»[6].

En 1961, une nouvelle «affaire» à laquelle est liée la question nationale alimente le débat politique. Il s'agit du questionnaire utilisé par le gouvernement à l'occasion du recensement fédéral. Le 5 janvier 1961, un comité représentant différentes associations canadiennes-françaises du Québec, de l'Ontario et du Nouveau-Brunswick demande du Bureau fédéral de la statistique que disparaisse du questionnaire, au chapitre de l'origine ethnique des citoyens résidants au Canada, toute mention ou référence au terme «canadien»[7].

Le 18 janvier suivant, l'Assemblée législative du Québec donne à l'unanimité son appui à cette requête; cet appui est suivi aussi de celui de Douglas Fisher, député de Port Arthur à la Chambre des communes et membre du C.C.F., et de celui de la Fédération des Commissions scolaires du Québec. Le 23 janvier 1961, Ottawa cède : il revise sa politique de recensement et acquiesce à cette demande; toute référence au terme «canadien» à la question portant sur l'origine ethnique est biffée et remplacée par l'expression «groupe ethnique et culturel»[8]. Cet incident, qui n'a pas une très grande portée en lui-même, témoigne parmi d'autres de la volonté croissante des Québécois d'affirmer leur identité nationale. La montée des organisations indépendantistes et les conclusions de la Commission Laurendeau-Dunton vont, chacune à leur façon, donner la consécration officielle à la question nationale comme enjeu politique majeur.

B. La montée du mouvement nationaliste

La montée des revendications nationales au Québec entraîne dès 1957 la constitution de diverses organisations. Parmi les plus importantes qui sont créées pendant cette période, mentionnons l'Alliance laurentienne en 1957, l'Action socialiste pour l'indépendance du Québec (A.S.I.Q.) en 1960, et le Rassemblement pour l'indépendance nationale (R.I.N.) en 1960[9].

---

6 *Le Devoir*, 4 février 1957, p. 3.

7 *Le Devoir*, 6 janvier 1961.

8 *Le Devoir*, 24 janvier 1961.

9 À ce sujet, voir le livre d'André D'ALLEMAGNE, *Le R.I.N. et les débuts du mouvement indépendantiste*, Montréal, éd. l'Étincelle, 1974, 160 p.

L'Alliance laurentienne est une formation de droite qui se réclame du salazarisme et de la devise «Dieu-famille-patrie», et qui préconise le corporatisme.

De son côté, l'A.S.I.Q. se donne comme but explicite de «lutter, par tous les moyens à sa disposition, afin que soit reconnue l'impérieuse nécessité de l'indépendance du Québec pour la libération nationale des Canadiens-français». La *Revue Socialiste,* animée par l'A.S.I.Q., se donne comme objectif de lutter contre «le colonialisme anglo-saxon», pour «l'indépendance absolue du Québec et la libération prolétarienne nationale des canadiens-français»[10].

Quant à lui, le R.I.N. se fixe comme objectif de rassembler tous ceux qui, «indépendamment de leurs convictions politiques», veulent combattre pour l'indépendance du Québec. Le manifeste du R.I.N. déclare :

> La seule raison d'être du R.I.N. est de favoriser et d'accélérer l'instauration de l'indépendance nationale du Québec.
> Le R.I.N. n'est aucunement relié, associé ni affilié à aucun autre organisme existant. Les membres du R.I.N. sont par ailleurs entièrement libres d'exprimer et de faire valoir, à titre personnel, leurs idées et leurs convictions sur les questions qui ont trait à la politique interne, à la religion, aux théories économiques et aux doctrines sociales[11].

Suite à une assemblée publique du R.I.N., le 4 avril 1961, qui a réuni plus de 500 personnes, Gérard Filion écrit dans un éditorial du *Devoir* :

> L'idée de l'indépendance nationale fait du chemin. Il n'en est besoin d'autre preuve que l'assistance de 500 personnes à l'assemblée de mardi dernier. L'indépendance du Canada français exige de nombreux préalables. Mais il est bon que l'idée s'agite afin qu'elle se clarifie par la discussion et la controverse[12].

Deux sondages successifs sont menés au Québec et viennent confirmer cette montée des revendications nationales et démocratiques.

Le premier sondage est effectué par *La Presse* en mars 1961, et le second par *Le Devoir* en juin 1961 auprès de leurs lecteurs sous la forme de coupons-réponses à retourner au journal.

---

10 DENIS, Roch, «Histoire et idéologie du mouvement socialiste québécois : 1960-1970» dans «La Réaction Tranquille», «*Socialisme Québécois*» no. 21-22, p. 50-78.

11 D'ALLEMAGNE, André, *op. cit.,* p. 139-140.

12 *Le Devoir*, 8 avril 1961.

À la question, «que favorisez-vous pour le Québec?», les lecteurs de *La Presse* répondent :

La séparation de la province du reste de la confédération   45%

L'annexion aux États-Unis   3%

La suppression de toutes les provinces et la formation d'un État centralisé   4%

Le maintien du régime actuel   39%

Ainsi, les résultats de l'enquête démontrent que 45% des répondants favorisent la séparation du Québec du reste du Canada. En outre, l'enquête effectuée par *La Presse* révèle également que 55% des ouvriers spécialisés et 56% des ouvriers non-spécialisés seraient séparatistes.

Quant à l'enquête du *Devoir*, faite le 10 juin 1961, elle pose deux questions aux lecteurs;

1) Considérez-vous l'indépendance du Québec comme souhaitable?

2) Considérez-vous l'indépendance du Québec comme réaliste?

et leur demande de répondre par *oui* ou par *non* à chacune de ces questions. Sur 4 098 coupons reçus, dont 4 029 sont analysés et 69 rejetés par le journal, le sondage donne le résultat qui suit :

— Indépendance souhaitable   75,2%
— Indépendance non-souhaitable   24,8%
— Indépendance réalisable   74,7%
— Indépendance non-réalisable   25,3%

Ces sondages ne peuvent avoir de prétention scientifique. Mais leurs résultats sont quand même, jusqu'à un certain point, révélateurs. André D'Allemagne explique quant à lui que «l'option indépendantiste a dès 1961 pénétré les milieux montréalais avec une certaine force»[13].

C. Le Canada traverse une «crise majeure»

Au terme de ses travaux, la *Commission royale d'enquête sur le biculturalisme et le bilinguisme* conclut, en 1965, que le Canada traverse une crise majeure. Cette commission a été formée «pour examiner les griefs formulés de plus en plus vigoureusement par les Canadiens-français et en particulier par le Québec». Son rapport préliminaire déclare :

---

13 D'ALLEMAGNE, André, *op. cit.*, p. 89.

Les membres de la Commission éprouvent le besoin de faire partager à leurs compatriotes l'expérience qu'ils ont vécue, et les leçons que pour l'instant ils en tirent. Cette expérience, on peut la résumer ainsi : les commissaires, comme tous les Canadiens qui lisent les journaux, s'attendaient bien à se trouver en présence de tensions et de conflits, ils savaient que des difficultés furent monnaie courante durant toute l'histoire de la Confédération, et qu'elles sont normales dans un pays où coexistent deux cultures. Mais ce qu'ils ont peu à peu décelé est différent. Ils ont été contraints de conclure que le Canada traverse actuellement, sans toujours en être conscient, la crise majeure de son histoire.

Cette crise a sa source dans le Québec : il n'est pas nécessaire de mener une enquête approfondie pour le savoir. Elle a des foyers secondaires : les minorités françaises des autres provinces et les minorités ethniques — ce qui ne signifie aucunement qu'à nos yeux ces problèmes soient en eux-mêmes secondaires. Quoique provinciale au départ, la crise devient canadienne à cause de l'importance numérique et stratégique du Québec et parce qu'elle suscite ailleurs, ce qui est inévitable, des réactions en chaîne.

D'où vient cette crise? Notre enquête n'est pas assez avancée pour nous permettre d'en discerner avec certitude l'ampleur et les causes profondes. On nous permettra de la décrire comme nous la voyons aujourd'hui : tout se passe comme si l'état de chose établi en 1867 et jamais gravement remis en question depuis était pour la première fois refusé par les Canadiens-français du Québec ...[14].

Donc, la question du Québec demeure au centre de la crise, et les fondements politiques du Canada établis en 1867 sont directement remis en question. Les années 60 marquent ainsi l'ouverture d'une période de crise pour le fédéralisme canadien et les dangers de «dislocation» du Canada sont réels :

Tout ce que nous avons vu et entendu nous a convaincus que le Canada traverse la période la plus critique de son histoire, depuis la Confédération. Nous croyons qu'il y a crise : c'est l'heure des décisions et des vrais changements : il en résultera soit la rupture, soit un nouvel agencement des conditions d'existence. Nous ignorons si cette crise sera longue ou brève. Nous sommes toutefois convaincus qu'elle existe. Les signes de danger sont nombreux et sérieux.

Nos contacts avec des milieux de Canadiens-français, des régions et des milieux sociaux les plus divers, nous ont montré jusqu'à quel point, pour la plupart d'entre eux, les questions de langue et de culture ne se posent pas dans l'abstrait. Elles sont enracinées dans la vie réelle : travail quotidien, réunions, rapports avec les sociétés publiques et privées, forces armées. Elles sont

---

14 Commission royale d'enquête sur le biculturalisme et le bilinguisme, *Rapport préliminaire*, Ottawa, Imprimeur de la reine, 1965, p.5.

inséparablement reliées aux institutions sociales, économiques et politiques qui déterminent le mode d'existence d'un peuple et qui devaient répondre à ses besoins comme à ses aspirations. Les opinions que nous avons entendues reflétaient souvent des expériences individuelles et collectives : d'où notre conviction qu'on ne saurait les modifier en faisant simplement appel à des idées abstraites comme l'unité nationale. Il nous a semblé que le mécontentement et l'esprit de révolte étaient provoqués par certains aspects de la réalité, plutôt que par la propagation de certaines doctrines [15].

Le mécontentement, le mouvement de révolte est ainsi fondé sur une situation de *faits* qui sera d'ailleurs démontrée, à bien des égards, par le rapport final de la Commission B.B. : salaires inférieurs pour les francophones, niveau d'instruction plus bas, taux de fréquentation scolaire plus faible, diplômes inférieurs pour les enseignants francophones, discrimination dans la fonction publique et dans l'entreprise privée, proportion plus grande d'ouvriers manuels et non spécialisés chez les francophones, etc. [16]. Il ne s'agit donc pas d'une situation «imaginée», mais bien d'une situation réelle d'oppression nationale des francophones au Canada, au sein de la «Confédération».

Le mouvement de protestation politique engagé en 1960 a des antécédents. D'autres crises antérieures jalonnent l'histoire du Canada depuis 1867 [17];

Toutefois, écrit la Commission, ces désaccords antérieurs furent réglés d'une façon ou d'une autre. Mais il ne sont pas étrangers à la crise présente ... Ces conflits mal dénoués cumulent cette fois dans une crise moins spectaculaire mais autrement profonde, et qui serait, outre ce qu'elle a de neuf, la somme et la consommation de tous les affrontements passés. Les discordes précédentes n'ont pas sérieusement menacé les fondements de l'État. La crise actuelle est d'un ordre différent. Jamais auparavant, sauf peut-être parmi quelques individus et quelques groupes, on n'avait eu le sentiment que les principes sur lesquels se fonde l'existence du peuple canadien étaient en jeu ... Ce qui est en jeu, c'est l'existence même du Canada [18].

---

15 *Ibid,* p. 125.

16 Voir Rapport final de la Commission B.B., en particulier les volumes 2 et 3.

17 Par exemple, lors de l'abolition des écoles séparées et de l'utilisation de la langue française dans la législature au Manitoba en 1891, lors de la participation du Canada à la guerre Sud-Africaine (1899) qui, selon Mason Wade, ont entraîné une «opposition presqu'unanime du Québec», ou lors de la conscription en 1918 et en 1942.

18 Commission B.B., *Rapport préliminaire,* p. 127.

Les fondements du Canada sont ébranlés par l'essor des aspirations nationales au Québec : le fédéralisme canadien en tant que tel est visé parce qu'il est considéré comme la consécration du sort réservé aux Québécois.

D. Le sens de la crise

La thèse selon laquelle le Canada est un pacte entre deux peuples qui, en s'unissant, ont fondé la nation canadienne est très répandue au début des années 60.

La Commission Laurendeau-Dunton l'a fait sienne en 1965[19]. Mais elle a été défendue bien avant par plusieurs spécialistes des questions constitutionnelles et politiques au Canada anglais et au Québec. Ainsi P. E. Trudeau écrit :

> Le fédéralisme repose essentiellement sur un compromis et un pacte ... Il suffirait en effet de soutenir que l'Acte de 1867 fut une loi du Parlement Impérial, mais une loi fondée sur l'accord de deux parties qui se fédéraient et donc une loi qu'on ne saurait bien comprendre et interpréter (et par la suite amender) qu'en tenant compte de l'esprit de cet accord[20].

Les Canadiens-français se seraient associés à titre de «partenaire égal» dans le projet de 1867. Jean-Charles Falardeau écrit :

> Le Canadien-français interprète la loi de 1867 comme un bienfait à un double point de vue : elle associa le Canada français à titre de partenaire égal et de participant au gouvernement de l'ensemble de la nation; elle lui accorda son propre gouvernement, celui du Québec. Il la considère surtout comme un «pacte» entre chacune des provinces canadiennes. Plus particulièrement, comme un pacte entre les «Anglais» et les «Français» du Canada[21].

C'est ainsi que se serait fondée la «nation canadienne» :

> Ce n'est pas déformer la réalité politique que d'affirmer que la nation canadienne date, à quelques années près, de 1867. Le consensus de ce qu'on appelle aujourd'hui la nation canadienne s'est formé vers cette année-là et la volonté de cette nation constitue le fondement de l'État qui exerce aujourd'hui son autorité sur l'ensemble du territoire canadien[22].

---

19 *Ibid*, p. 13.

20 TRUDEAU, P.E., *Le fédéralisme et la société canadienne-française,* Montréal, HMH, coll. Constantes, vol. 10, 1967, p. 203 et 139.

21 FALARDEAU, J.C., «Les Canadiens-français et leur idéologie», dans *Canadian Dualism*, Toronto, University of Toronto Press, 1960, p. 25.

22 TRUDEAU, P.E., *op. cit.,* p. 209; article écrit en 1964 sous le titre «Fédéralisme, Nationalisme et raison».

Comme nous le verrons, Eugene Forsey, directeur de la recherche au Congrès du travail du Canada et dirigeant fondateur du N.P.D., défendra la même option au congrès de fondation du Nouveau Parti.

En s'associant «librement» au projet de 1867, les Canadiens-français auraient trouvé le plein épanouissement des libertés démocratiques. Trudeau soutient que :

> De par la constitution canadienne actuelle, celle de 1867, les Canadiens-français ont tous les pouvoirs nécessaires pour faire du Québec une société politique où les valeurs nationales seraient respectées en même temps que les valeurs proprement humaines connaîtraient un essor sans précédent[23].

Cette idée rejoint pleinement celle qu'il avait émise dans un article écrit en 1958 où il affirmait que «les Canadiens-français sont peut-être le seul peuple au monde qui 'jouisse' du régime démocratique sans avoir eu à lutter pour l'obtenir»[24]. En 1967, Claude Ryan écrira dans la même veine :

> Il faut convenir que le fédéralisme nous a donné au Québec, l'usage plénier de ces libertés fondamentales qui sont la pierre d'assise de toute démocratie véritable. Liberté de parole, liberté de déplacement, liberté de croyance, liberté de réunion : quel pays au monde peut se vanter de posséder, à cet égard, plus de réalisations positives que le Canada[25].

Les revendications indépendantistes n'auraient donc pas de fondements légitimes. La création du Canada en 1867, dit-on, aurait réglé le problème de fond en permettant l'épanouissement des libertés démocratiques au Québec. Les «incidents de parcours» rencontrés par la suite n'auraient été que des problèmes d'application concrète de l'esprit contenu dans l'accord de 1867. En 1961, P. E. Trudeau, s'opposant à la jeunesse indépendantiste du Québec, écrit : «elle s'attaque énergiquement à des problèmes qui ont trouvé leur solution il y a un siècle»[26]. Nous verrons que cette conception dominante du Canada sera mise en cause lors de la fondationdu N.P.D., du moins partiellement.

---

23 TRUDEAU, P.E., *op. cit.*, p. 189.
24 «De quelques obstacles à la démocratie au Québec», *Cité Libre*, 1958.
25 *Le Devoir*, 23 septembre 1967.
26 *Cité Libre*, décembre 1961, p. 3.

Chapitre 4
L'ACTION POLITIQUE OUVRIÈRE : SIGNES ET LIMITES PENDANT LES ANNÉES 50

A. La fondation du C.T.C. et l'action politique

Même si l'adoption officielle par le Congrès du travail du Canada du projet de création d'un nouveau parti ne se concrétise qu'à son deuxième congrès biennal de 1958, l'expression d'une volonté d'action politique indépendante fondée sur des bases renouvelées dans le mouvement ouvrier commence à prendre corps, à partir de l'année 1957.

1. LE C.M.T.C., LE C.C.T. : DEUX TRADITIONS.

À cette date, le mouvement syndical au Canada est au confluent de deux traditions distinctes sur la question de l'action politique.

D'un côté, la tradition en faveur d'une action politique partisane du mouvement syndical, de l'autre, celle qui refuse l'engagement du mouvement syndical dans l'action politique directe au nom de la «neutralité» des syndicats en ce domaine.

La première option a été, jusqu'à 1956, traditionnellement défendue par le Congrès canadien du travail : elle s'est manifestée particulièrement depuis 1943 alors que, comme nous l'avons vu, le congrès du C.C.T. reconnaissait le C.C.F. comme «l'arme politique du mouvement ouvrier». Au Québec, en tant que fédération provinciale du C.C.T., la Fédération des unions industrielles du Québec endosse ainsi l'idéologie du syndicalisme industriel et l'intervention sur le plan politique.

> Par définition, les Unions ouvrières forment un corps qui doit défendre les intérêts des ouvriers dans tous les domaines.
> Or ce n'est pas seulement sur le plan du travail quotidien que l'ouvrier est lésé. On sait très bien que la classe ouvrière a besoin d'obtenir justice sur les plans économique, social et politique[1].

---

1 *Nouvelles Ouvrières*, mai 1955, p. 2, tiré du livre de L.M. TREMBLAY, *Le syndicalisme québécois, op. cit.*, p. 132.

La deuxième option, celle de la «neutralité», soutenue par le Congrès des métiers et du travail du Canada, sert, selon Gad Horowitz, à masquer la bienveillance des dirigeants de cette centrale envers les partis traditionnels et les employeurs[2]. Au Québec, la Fédération du travail applique en toutes lettres la ligne dite de «neutralité» du C.M.T.C.; elle se traduit pratiquement par un appui au gouvernement Duplessis. Par exemple, à l'approche des élections provinciales de 1956, la Fédération indique clairement ses «préférences» politiques :

> Il faut admettre en toute sincérité que l'Union nationale possède en la personne de l'Honorable Antoine Barrette, un excellent ministre du Travail, le meilleur que nous ayons jamais eu; il fait tout ce qu'il peut pour faire régner la paix entre le capital et le travail, mais nous, ouvriers organisés, nous savons qu'il ne peut faire tout ce qu'il voudrait[3].

Cette position de «neutralité» est également défendue à cette date par la C.T.C.C. au Québec dont les statuts précisent que la centrale «ne s'affiliera à aucun parti politique et n'appuiera aucun parti politique»[4].

2. LES POSITIONS DU C.C.T. ET DU C.M.T.C. AU MOMENT DE LA FUSION : LE PREMIER CONGRÈS DU C.T.C. EN 1956.

Malgré les origines et les options différentes, le débat sur l'action politique, entre le C.C.T. et le C.M.T.C., s'amorce concrètement à partir de 1955 dans les discussions qui entourent le projet de fusion des deux centrales syndicales.

Les dirigeants préfèrent ne pas aborder de front la question de l'action politique de peur qu'elle ne soit un obstacle à la fusion.

> Il fallait fusionner et les conflits portaient sur les modalités. L'élimination de la concurrence syndicale était la première préoccupation et la motivation première des partisans de la fusion; le problème de l'action économique et de l'organisation l'emportèrent largement sur les questions idéologiques et sur la divergence des points de vue sur l'action politique. Les pourparlers et résolutions repoussèrent toute question litigieuse pouvant retarder ou remettre en question la fusion organique[5].

---

2 HOROWITZ, Gad, *Canadian Labour in Politics,* Toronto, University of Toronto Press, 1968, p. 63.

3 *Le Monde Ouvrier,* mai 1956.

4 TREMBLAY, L.M., *Le syndicalisme québécois, idéologie de la C.S.N. et de la F.T.Q. 1940-1970,* Montréal, Presses de l'Université de Montréal, 1972, p. 57.

5 GRANT, Michel, *L'action politique et la F.U.I.Q.,* M.A. Université de Montréal, p. 43. À ce sujet, voir également le livre de Gad HOROWITZ, *Canadian Labour in Politics,* p. 167.

C'est dans cette optique qu'au mois de décembre 1955, le Comité d'unité intercentrales, responsable des pourparlers de fusion, propose une entente qui évite toute question litigieuse entre les deux parties. Le projet d'entente est soumis au congrès de fusion sous forme de résolution. Elle permet aux syndicats qui le veulent d'appuyer le C.C.F., mais par le fait même elle permet aux autres de garder une orientation politique différente ou même contraire. La résolution se déclare en faveur de la création d'un Comité d'éducation politique, responsable devant le congrès, dont le rôle est de formuler des programmes d'éducation politique et de supporter les efforts des syndicats locaux désirant initier leurs propres programmes d'éducation ou d'action politique. Enfin, le congrès autorise le Comité d'éducation politique, sous la direction du Conseil exécutif,

> à entamer des pourparlers avec les syndicats libres non affiliés au Congrès, avec les grandes associations agricoles au Canada, avec le mouvement coopératif, avec le C.C.F. ou tout autre parti politique s'engageant à appuyer les programmes législatifs du C.T.C., à l'exclusion des communistes et des fascistes, et à assurer la coordination de l'activité dans le domaine législatif et politique[6].

Il s'agit d'une position tout à fait conforme aux traditions trade-unionistes. Toutefois en permettant au nouveau congrès d'apporter une aide aux syndicats affiliés désireux d'appuyer le C.C.F., une brèche est ouverte au sein de la nouvelle centrale syndicale canadienne vers l'action politique indépendante des vieux partis.

3. DES DÉVELOPPEMENTS SIGNIFICATIFS VERS LA FONDATION D'UN NOUVEAU PARTI.

En 1957 seulement, environ 450 syndicats locaux, affiliés au C.T.C., créent leur comité d'action politique local. Au cours de la même année, les appuis des fédérations provinciales envers le C.C.F. se multiplient rapidement.

Au congrès de fondation de la Fédération du travail de l'Ontario en mars 1957, les délégués donnent leur «appui total» au C.C.F. avec une majorité de 600 voix contre 20. Il en va de même en Colombie-Britannique où le congrès annuel de la Fédération du travail décide, par une majorité de 85% des voix, de donner son appui au C.C.F.[7].

---

6 *Convention Proceedings*, C.T.C., 1956.
7 HOROWITZ, Gad, *op. cit.*, p. 189.

Au Québec, les progrès en matière d'action politique sont plus lents. En février 1957, se déroule le congrès de fondation de la Fédération des travailleurs du Québec. Aucune résolution précise concernant l'action politique n'y est adoptée. Seule une intervention de Roger Provost, futur président de la nouvelle centrale, y fait allusion :

> Il est important de tous travailler ensemble et de faire de l'action politique. Les actes des politiciens et des cadres politiques actuels, par les abus qu'ils ont engendrés, par le mépris de la démocratie auquel ils ont donné lieu, ont fait naître des protestations. Des voix individuelles se sont élevées; des groupements nouveaux ont été formés. Il est du devoir de notre Fédération d'étudier ces mouvements et de les appuyer si leur idéal correspond à celui du mouvement ouvrier[8].

Mais Provost s'est encore une fois opposé farouchement à la création d'un parti des travailleurs. Néanmoins la nécessité de l'action politique indépendante s'intensifiera à la F.T.Q., en liaison avec les événements politiques de l'année 1957. Comme nous l'avons déjà noté, la grève de Murdochville influencera radicalement le cours des événements. Au congrès suivant de la F.T.Q., le premier après la fondation, tenu en novembre 1957, deux syndicats affiliés présentent des résolutions en faveur de l'action politique. Le local 78b de l'Union internationale des travailleurs du Bois d'Amérique à St-Jean propose une résolution en faveur de l'action politique des travailleurs et se prononce pour la présentation de candidatures ouvrières indépendantes. De son côté, s'appuyant sur les déclarations publiques de R. Provost et R. Mathieu, le local 1413 de l'Union des ouvriers du textile d'Amérique à Montréal présente au congrès la résolution suivante :

> Attendu les manifestations de la marche sur Murdochville, des ralliements de Sorel et de Drummondville et de la marche sur Québec, attendu les événements qui ont donné naissance à ces manifestations,
>
> Attendu les déclarations faites par le président et le trésorier de la Fédération mettant en lumière la nécessité d'une action politique concrète de la part des travailleurs,
>
> Il est résolu,
>
> 1) Que ce congrès nomme un Comité spécial chargé d'élaborer un programme d'action politique pour les travailleurs du Québec,

---

8 *Le Monde Ouvrier*, février 1957, p. 3. En parlant des groupements nouveaux, R. Provost fait directement allusion au *Rassemblement*, regroupement fondé en 1956 par P. E. Trudeau, prônant l'union des forces «démocratiques» provenant de divers milieux (parti libéral, P.S.D., syndicats ...) et s'opposant au projet d'un parti du travail.

> 2) Que ce comité fasse rapport à une assemblée spéciale des permanents de la Fédération avant le 20 décembre,
>
> 3) Que des démarches soient ensuite entreprises dans le but d'établir un programme d'action politique commun avec la C.T.C.C.[9].

Toutefois ces deux résolutions ne sont pas retenues par le congrès et n'obtiennent pas les résultats escomptés. La pression exercée par la direction de la Fédération y joue pour beaucoup. Le journal du C.T.C. explique lui-même que, par ses interventions, elle réussit à ralentir, du moins pour un certain temps, les aspirations immédiates d'un certain nombre de délégués en faveur de l'action politique indépendante des travailleurs.

Dans son «Keynote Speach» le président Roger Provost a voulu freiner les aspirations politiques immédiates d'un certain secteur de la Fédération. Il a expliqué que la carte électorale au Québec ne serait pas favorable à l'avènement d'un parti travailliste. Selon lui, il faut tout d'abord créer une conscience politique non seulement chez nos ouvriers industriels mais aussi chez les cultivateurs afin que l'action politique, lorsqu'elle deviendra électorale, ait des chances de succès et ait en même temps un caractère essentiellement positif[10].

Mais les événements ultérieurs vont relancer le débat. La défaite du C.C.F. aux élections de 1958, la hausse vertigineuse du chômage, la violence des affrontements syndicaux, tous ces événements entraînent plusieurs syndicats locaux ou fédérations du C.T.C. à demander que le congrès de 1958 prenne une position définie sur l'action politique. Des résolutions allant dans ce sens sont progressivement acheminées à la direction du C.T.C. à l'approche du congrès d'avril 1958[11]. Finalement, le coup d'envoi préliminaire va être donné à la seconde réunion du Conseil exécutif du C.T.C. de février 1958, en préparation du congrès d'avril :

> Le Conseil a décidé de rédiger, en vue de la soumettre à la Convention, un résolution chargeant le Conseil exécutif d'établir un comité consultatif avec la C.C.F., en vue de créer un instrument politique efficace, modelé sur le parti travailliste britannique qui servirait les meilleurs intérêts du peuple canadien[12].

---

9 Documents du IIᵉ Congrès de la F.T.Q., tirés des Archives de la Fédération des travailleurs du Québec à Montréal.

10 *Le Travailleur Canadien,* vol. 2, no 12, décembre 1957.

11 Voir : *Resolutions submitted to the Second Constitutional Convention,* Canadian Labour Congress, Winnipeg, Manitoba, Mutual Press, Ottawa, 1958.

12 Procès verbal du Conseil exécutif des 26, 27 et 28 février 1958, *Le Travailleur Canadien,* vol. 3, no 4, p. 76.

Par cette résolution, le Conseil exécutif du C.T.C. donnait son approbation à l'Idée de former un nouveau parti politique au Canada, projet qui allait être soumis et adopté officiellement par le congrès du C.T.C. d'avril 1958.

Par ailleurs, dans la mise en branle du projet de nouveau parti, l'expérience du P.S.D., tout particulièrement au Québec, prend une connotation toute particulière, dans la mesure où ce parti s'inscrira, outre le C.T.C., comme une des principales composantes du projet. C'est ce que nous allons maintenant aborder avant de passer à la fondation du N.P.D.

B. La question nationale dans l'échec du P.S.D.

Au cours des années 50, le Cooperative Commonwealth Federation-Parti social-démocratique connaît de très sérieuses difficultés; ses dirigeants, constatant la situation, décident en 1958 d'emboîter le pas à la fondation du Nouveau Parti. En réalité, à l'exception de certaines positions importantes occupées dans quelques provinces comme la Saskatchewan, le C.C.F. régresse partout. À l'élection fédérale de 1958, il récolte seulement 9,4% du vote populaire et ne recueille que 8 sièges à la Chambre des communes alors qu'aux élections précédentes, en 1957, il avait gagné 25 sièges[13].

Débâcle électorale, mais confirmation également du déclin que connaît le parti depuis quelques années. Certes, à son congrès de 1943, le Congrès canadien du travail a reconnu le C.C.F. comme «l'arme politique du mouvement ouvrier» et recommandé à tout ses syndicats de s'y affilier[14]. Mais cette proclamation, cette reconnaissance politique du C.C.F. par le C.C.T. n'a pas son corrollaire : elle ne se traduit pas, dans les années qui suivent, par un renforcement du nombre de syndicats affiliés, du membership, du soutien financier et électoral du parti. D'ailleurs, jusqu'en 1959, il n'y a que très peu de syndicats affiliés au C.C.F.[15]. Ainsi, de l'avis de plusieurs observateurs, une des faiblesses majeures qui explique ce déclin provient du fait que le C.C.F. n'entretient que des liens très faibles avec le mouvement ouvrier organisé. David Sherwood écrit :

---

13 HOROWITZ, Gad, *op. cit.*, p. 257.

14 HOROWITZ, Gad, *op. cit.*, p. 78.

15 Selon les données révélées par Gad Horowitz, il y avait 22 syndicats locaux affiliés en 1959, représentant quelques 19 594 membres. Les autres appuis étaient «indirects» : par exemple, 66 syndicats locaux (28 487 travailleurs) cotisaient au Comité d'action politique de la Fédération des travailleurs de l'Ontario, elle-même affiliée au C.C.F.

> L'histoire du C.C.F. au Québec, doit être vue en termes d'un petit parti, essentiellement idéologique, existant en marge de la vie politique de la province, échouant constamment à s'établir sur une base large et marqué, pour une longue période, de traces d'hérésie[16].

L'échec du P.S.D. au Québec doit être considéré comme un facteur central dans l'explication du déclin du parti fédéral, et cet échec se résume fondamentalement au fait que le C.C.F. et sa section provinciale n'ont jamais fait leurs les aspirations nationales des Québécois.

Bien que certains, comme P. E. Trudeau, aient déjà attribué cet échec à l'absence de «radicalisme canadien-français»[17], la majorité des observateurs estiment que la faillite du P.S.D. au Québec est due d'abord et avant tout à son caractère «anglo-saxon», centralisateur, et «étranger» au contexte québécois. Walter D. Young écrit :

> Le fait que le C.C.F. favorisait des solutions centralisatrices aux problèmes sociaux et économiques au Canada n'apporta pas beaucoup de soutien pour le parti au Québec si ce n'est de contribuer à l'image du parti dans cette province, celle d'une organisation étrangère et anti-française. Rien chez le C.C.F., comme mouvement politique, n'était conséquent avec les attitudes qui prévalaient au Québec. Celui-ci était un élément étranger, l'Église catholique s'y opposait; le parti prêchait le centralisme et il regroupait en son sein des Canadiens-anglais qui fréquemment ont fait preuve de grande ignorance et de préjugés considérables dans les questions où les droits du Québec et des Canadiens-français étaient en cause. Tout au long de sa carrière maladive dans cette province, le C.C.F. s'adressa au Québec avec un accent anglais. Que Lewis et Scott furent parfaitement bilingues, cela n'y changeait rien; le C.C.F. n'avait tout simplement aucune racine au Québec et était incapable de démontrer dans les faits pourquoi il devait en être autrement[18].

Ces propos de W.D. Young sont confirmés totalement par David Lewis, président national du C.C.F. et futur dirigeant du Nouveau Parti, en 1961 : «Dans la mesure où les Québécois se sentaient concernés par ce parti, explique-t-il, le C.C.F. était un produit anglophone de l'ouest et conséquemment, un produit étranger»[19]. Dans *Cité Libre,* Michel Forest, dirigeant du P.S.D., écrit ce qui suit :

---

16 SHERWOOD, David, *The N.D.P. and French Canada 1961-1965,* p. 3. La traduction est de nous.

17 TRUDEAU, P. E., «L'élection fédérale : prodomes et conjectures», *Cité Libre,* nov. 1953, p. 9.

18 YOUNG, W.D., *The anatomy of a party : the national C.C.F. 1932-61,* Toronto, University of Toronto Press, 1969, p. 234. La traduction est de nous.

19 *Ibid,* p. 214. La traduction est de nous.

On attribue souvent l'échec du C.C.F. dans le Québec au fait qu'étant né et ayant grandi dans les provinces anglaises du pays, il apparaîtrait aux Canadiens-français comme un mouvement en quelque sorte «étranger», qui ne correspondrait pas à la mentalité et aux aspirations de la population québécoise[20].

On retrouve ce diagnostic aussi bien dans la presse qui, elle, n'a jamais soutenu le P.S.D.-C.C.F. au Canada et au Québec. Dans un éditorial de *La Presse*, Marius Girard fait l'évaluation suivante :

> Elle donnait trop l'impression d'être un décalque du travaillisme anglais, ce qui pouvait intéresser la population anglaise, surtout les immigrés britanniques de fraîche date, mais ce n'est pas un atout auprès du Canada français. Son nom même la desservait dans la province de Québec : on n'a pas su en trouver une traduction satisfaisante : il a fallu se rabattre sur une transposition : le parti social-démocratique. On a cherché plus tard à se gagner les sympathies des Canadiens-français, à faire du recrutement chez eux. Mais la C.C.F. a toujours souffert de ses origines, du peu d'intérêt qu'elle présentait pour les Québécois, à ses débuts[21].

Selon André Laurendeau, le P.S.D. ne se serait jamais intégré au milieu québécois :

> Jadis, écrit-il, l'aile québécoise du parti C.C.F. n'était québécoise que de nom. Un Canadien-français ne s'y sentait pas à l'aise. Il a fallu de longs efforts pour que ce groupement devenu le P.S.D. s'intègre au milieu : encore ne s'agissait-il que d'une intégration relative, toujours menacée, toujours fragile. Car il arrivait au parti «national» ou du moins à quelques-uns de ses porte-parole, de défaire à mesure ce que les Québécois avaient réalisé[22].

Le fait que les Québécois ne se sentent pas «chez-eux» dans le parti n'est pas lié à des présomptions subjectives de leur part. Le C.C.F. était réellement fermé aux aspirations nationales des Québécois et il eut maintes occasions pour le démontrer, ne fut-ce qu'au moment de la conscription de 1940 alors que le parti soutint la conscription obligatoire indépendamment du profond mouvement d'opposition qui se développait au Québec contre celle-ci[23]. Mais, pour fin d'illustration, nous nous attarderons spécifiquement à une série d'événements survenus au sein du

---

20 FOREST, Michel, «Raisons d'échec et motifs d'espoir», *Cité Libre*, décembre 1952, p. 14.

21 *La Presse*, 1er août 1961.

22 LAURENDEAU, André, «Le N.P.D. et les Canadiens-français», éditorial, *Le Devoir*, 10 août 1961.

23 GAGNON, Gabriel, «La Gauche a-t-elle un avenir au Québec», dans *Essays on the Left, op. cit.*, p. 239.

parti entre septembre 1954 et janvier 1955, soit à la veille du projet de fondation du Nouveau Parti.

En septembre 1954, Harold Winch, député du C.C.F. à la Chambre des communes, remet publiquement en cause l'utilisation du français à la Chambre des communes. Interviewé par l'*Ottawa Journal* après l'événement, il confirme ses propos et déclare :

> J'ai déjà dit et répété à plusieurs reprises que non seulement c'est leur «sacré» droit de parler français, mais c'est aussi un droit légal dans le cadre de la Confédération. Je ne ferais rien qui aurait pour effet d'empêcher l'usage de la langue. Personnellement j'admire mes collègues qui parlent français. Mais comme je l'ai déjà dit, alors qu'ils sont parfaitement capables pour plusieurs d'entre eux de parler l'anglais aussi bien que moi sinon mieux, pourquoi utiliser une langue que la majorité des Communes ne comprend pas[24].

Cette déclaration est suivie, le 19 janvier 1955, d'une intervention d'Hazen Hargue à la Chambre des communes qui se prononce contre une réduction de 10% de l'impôt du Québec en affirmant que cette mesure aurait comme conséquence de sacrifier «le bien-être de 15 millions de Canadiens sur l'autel de l'ultra-nationalisme»[25]. Ces événements provoquent une vive réaction dans les rangs du P.S.D. au Québec. Le 29 janvier, Thérèse Casgrain, Frank Scott et Bill Dodge menacent de démissionner sur le champ. Ils y renoncent après qu'une rectification de la part de la direction du parti ait été faite publiquement le 5 février 1955. Mais d'autres dirigeants du Québec ne sont pas satisfaits de ce geste. Roméo Mathieu, Jacques-Victor Morin, Jean Philip, Fernand Daoust, Philippe Vaillancourt et Huguette Plamondon exigent une répudiation publique et immédiate des députés C.C.F. en cause ou, à défaut, leur expulsion immédiate du parti. Cette attente n'étant pas satisfaite, les six remettent leur démission du C.C.F.[26]. Dans une lettre adressée à Thérèse Casgrain le 7 février 1955, T.C. Douglas, dirigeant du parti et premier ministre de la Saskatchewan, écrit :

> Le mouvement C.C.F. à travers le Canada a pris position fermement d'années en années pour la sauvegarde et le maintien des droits et prérogatives dont jouissent les Canadiens-français et la Province du Québec en vertu de notre constitution. Le fait qu'un

---

24 Archives du N.P.D. — Archives publiques du Canada, Ottawa. *Dossiers sur le C.C.F. de 1950 à 1958*. La traduction est de nous.

25 *Ibid.*

26 SHERWOOD, David, *The N.D.P. and French Canada*, p. 17.

ou deux membres du Parlement aient pu faire des déclarations qui puissent être interprétées dans un sens contraire n'invalide en aucune manière la position mise de l'avant par les congrès successifs du C.C.F. et les différentes réunions des Conseils provinciaux. À moins et jusqu'à ce que le C.C.F. change ses politiques à cet égard, j'ose espérer que le Conseil du Québec du C.C.F. maintienne sa participation au sein du mouvement. Si le C.C.F., à titre de mouvement, devait officiellement retirer son soutien aux droits de minorité dont jouit le Québec, je peux vous assurer que nous tous sans exception, nous nous retirerions au même moment parce que, pour la très grande majorité d'entre nous, nous avons sans cesse insisté sur le fait que les droits en matière de langue, de religion, d'éducation et de culture auxquels le Canada français tient tellement, doivent être sauvegardés et je suis sûr que personne d'entre nous n'accepterait quelque changement à cette position fondamentale[27].

Le 18 février suivant, sur les ondes de la radio, à l'émission *Les Affaires de l'État*, Thérèse Casgrain fait une déclaration publique :

Depuis quelques semaines, on a beaucoup parlé du parti C.C.F. surtout pour le critiquer. Ce déluge de critiques est survenu à la suite de quelques discours prononcés par les députés de ce parti à la Chambre des communes et ailleurs.

En parlant de la sorte, ceux-ci n'avaient nullement l'intention de blesser les citoyens de notre province, mais démontraient simplement l'ignorance qui existe à l'égard du Québec dans d'autres parties du pays.

Le C.C.F. de la section de Québec a énergiquement protesté auprès des députés qui s'étaient ainsi rendus coupables de ces manques de jugement, ainsi qu'auprès de l'Exécutif national, afin d'obtenir une clarification ou une rectification de ce qui s'était dit d'offensant à notre endroit. Nous avons reçu l'assurance que dans un avenir rapproché, dès la première occasion, nos députés C.C.F. feront les mises au point nécessaires ... à la Chambre des communes, non par crainte, mais simplement parce qu'ils ont, sans le savoir, offensé des Canadiens de langue française[28].

Mais les mises au point promises de la part des députés C.C.F. n'auront pas lieu. Dans une lettre à Frank Scott, dirigeant du P.S.D. au Québec, Stanley Knowles, lui-même dirigeant fédéral du C.C.F., souligne : «le dommage quasiment irréparable ... fait à notre cause par quelques déclarations insensées et totalement inutiles»[29].

---

27 Tiré des *Dossiers sur le C.C.F. de 1950 à 1958* parmi les Archives du N.P.D., Archives Publiques au Canada, Ottawa.

28 *Ibid.*

29 Lettre datée du 8 février 1955. Cf. Walter D. YOUNG, *op. cit.,* p. 213.

Stanley Knowles, dirigeant du C.C.F. et du C.T.C., et Thérèse Casgrain.

Huguette Plamondon du P.S.D.

Ces quelques événements sont révélateurs des facteurs nationaux qui ont été à l'origine de l'échec du C.C.F. au Québec. Mais il importe de le souligner, à la veille du projet d'un nouveau parti, les dirigeants du C.C.F. n'ont fait aucun bilan politique de cet échec. Aucun document n'est soumis aux membres sur les enseignements de l'histoire du parti en vue d'empêcher que ne se répète la même orientation dans la fondation du Nouveau Parti.

Deuxième partie
LA FONDATION DU N.P.D.

A U Québec, à partir de 1958, le projet du Nouveau Parti connaît un développement important, principalement du fait de l'implication directe d'une des deux centrales ouvrières, la F.T.Q.. Mais ce projet rencontre aussi des obstacles qui ont pour effet d'affaiblir sensiblement son implantation. La distance entretenue par la C.S.N. vis-à-vis du projet constitue un obstacle majeur. Mais à mesure que l'échéance du congrès de fondation se rapproche, l'attitude et les positions des promoteurs du Nouveau Parti au Canada anglais sur la question nationale vont devenir une des principales pierres d'achoppement.

Chapitre 5
LE COMITÉ NATIONAL DU NOUVEAU PARTI

A. La décision du congrès du C.T.C. de 1958 : le coup d'envoi

Les bases du Nouveau Parti ont été jetées officiellement au IIe congrès de la centrale syndicale canadienne, en avril 1958. Le congrès, dans une très forte majorité, adopte une résolution très importante, proposant la formation «d'un mouvement politique populaire à cadres très larges groupant le P.S.D. (C.C.F.), le mouvement syndical, les associations agricoles, les professionnels et les citoyens d'esprit libéral». Voici le texte intégral de cette résolution présentée par Eamond Park, président du Comité d'éducation politique du C.T.C. :

> Le présent congrès est convaincu de l'impérieuse nécessité à l'heure actuelle de créer une force nouvelle et efficace sur la scène politique canadienne, une force qui se fondera sur les besoins des travailleurs, des agriculteurs et des autres groupes populaires et qui sera financée et contrôlée par le peuple et ses organismes.
>
> Au cours des vingt-cinq dernières années, le P.S.D., a grandement contribué au bien commun du peuple canadien par son action tant au Parlement qu'en dehors du Parlement. Le mouvement syndical est conscient de cet apport et reconnaît que, dans la mesure de ses modestes moyens, le P.S.D. continue de lutter en faveur des principes de justice sociale, de sécurité et de liberté, au triomphe desquels s'est également voué le C.T.C..
>
> L'heure est venue d'opérer un regroupement fondamental des forces politiques au Canada. On sent le besoin d'un vaste mouvement populaire, englobant le P.S.D., les syndicats ouvriers, les associations agricoles, les professionnels et les citoyens d'esprit libéral, en un mot tous ceux qui aspirent à une réforme et à une reconstruction sociales en profondeur, réalisées dans le cadre de notre système parlementaire de gouvernement. Cet instrument politique basé sur une participation populaire aussi large que possible devrait permettre au mouvement syndical et aux autres associations de même caractère, en collaboration avec le P.S.D., de contribuer directement à l'instauration d'un tel organisme, à l'élaboration de sa structure organique, à la formulation de ses principes de base et de son programme, ainsi qu'à son financement et au choix de ses candidats aux fonctions publiques.

Il sera profitable d'examiner l'histoire et la structure des partis travaillistes et sociaux-démocrates en d'autres pays afin de s'inspirer et de tirer parti de leur expérience; mais il ne faudra jamais perdre de vue que, pour être efficace au Canada, un organisme politique doit être essentiellement canadien dans son caractère et dans sa structure.

En lançant l'idée d'un nouveau parti politique et en participant à sa création, le mouvement syndical souligne le fait que non seulement il n'a pas l'intention de dominer un tel mouvement mais qu'au contraire il souhaite vivement la plus vaste adhésion possible de tous les individus et groupements qui se préoccupent sincèrement d'une réforme en profondeur de notre société et qui la croient réalisable par des méthodes de planification démocratique.

Conséquemment, le présent congrès donne mandat au Conseil exécutif d'entreprendre immédiatement les démarches nécessaires, en engageant des pourparlers avec le P.S.D., les associations agricoles et les autres individus et groupements intéressés en vue de formuler des projets de constitution et de programme à l'intention de cet instrument politique du peuple canadien; le Conseil devra faire rapport du résultat de ses travaux et soumettre les dits projets aux délégués au prochain congrès général du C.T.C..

Dans l'intervalle, le présent congrès réaffirme le principe posé dans la résolution politique adoptée lors du congrès de fondation du C.T.C. en ces termes :

(Le présent congrès) invite instamment tous les syndicats affiliés ainsi que les fédérations et conseils; a) à prendre un vif intérêt aux affaires politiques, b) à poursuivre les programmes d'éducation et d'action politiques dans lesquels ils sont déjà engagés, et c) à entreprendre résolument toute nouvelle activité susceptible de contribuer efficacement à la réalisation des objectifs fondamentaux du C.T.C.; et il presse d'autre part le service d'éducation politique d'accorder toute l'aide possible aux syndicats affiliés, aux fédérations et aux conseils du travail dans la mise en œuvre de leurs programmes d'éducation et d'action politiques[1].

Par cette résolution, le congrès reconnaît donc la nécessité de créer un nouveau parti, un nouveau mouvement politique indépendant du patronat et s'appuyant, entre autres, principalement sur les syndicats. Il donne mandat à la direction du C.T.C. de mettre en branle, en collaboration avec le P.S.D., les associations agricoles et autres groupements susceptibles de s'y associer, le processus de formation du nouveau parti et de faire rapport au congrès de 1960. Il déclare qu'entre-temps

---

1 *Procès verbal des délibérations de la Convention de 1958*, Ottawa, C.T.C., 1958.

l'action du C.T.C. sera orientée vers le soutien de l'action politique directe des syndicats affiliés, des fédérations et Conseils du travail.

Au cours de l'année 1959 et 1960, les Fédérations provinciales affiliées emboîtent le pas à la centrale syndicale C.T.C. à l'exception de celle du Nouveau-Brunswick, dont la direction défend une position systématique d'appui au parti conservateur. Ainsi la très grande majorité des centres syndicaux décident d'abandonner leur traditionnelle position de neutralité qui laisse le monopole de la politique aux partis libéral et conservateur, et de s'engager dans l'action politique indépendante. «Il devrait y avoir deux partis politiques distincts au fédéral comme au provincial, l'un représentant le Travail, l'autre le Capital», lit-on dans *Le Monde Ouvrier* de la F.T.Q.. Ce sont là les termes utilisés par le Conseil canadien des ouvriers unis des textiles d'Amérique pour témoigner de son appui public au projet de fondation d'un nouveau parti[2].

B. Les réactions et les débats au sein du C.C.F.

Mais suite à la décision du congrès du C.T.C., on attendait maintenant avec anxiété la position de la direction et du congrès du C.C.F..

Le Conseil national du parti se réunit en mai et adopte une série de mesures immédiates : premièrement, il accepte l'invitation faite par le C.T.C. de s'associer conjointement au lancement d'un nouveau mouvement politique; deuxièmement, il rédige un projet de résolution à soumettre au congrès national prévu pour juillet 1958 à Montréal; troisièmement, il accepte la proposition du C.T.C. d'un comité conjoint formé de représentants des deux organismes; il y nomme ses représentants, nominations qui auront à être ratifiées par le congrès.

Au congrès «national» de juillet 58, cette ligne d'action est adoptée par les délégués. Sur proposition de Michel Chartrand, leader du P.S.D. au Québec, le C.C.F. demande que la C.T.C.C. soit approchée dans les pourparlers entourant la fondation du Nouveau Parti. Voici le texte de la résolution adoptée :

> Le présent congrès national du P.S.D. réaffirme sa conviction que le bien-être du pays et du peuple canadien repose sur l'élargissement et la prompte victoire d'un mouvement politique groupant tous les secteurs de la population. En tant que sociaux-démocrates, nous croyons qu'un tel mouvement devra continuer à s'inspirer des principes de la planification sociale démocratique et préconiser les formes les plus amples de sécurité sociale et de

---

2 *Le Monde Ouvrier*, juin 1959, résolution du Conseil canadien des ouvriers unis des textiles d'Amérique.

liberté individuelle. Il devra demeurer inébranlable dans sa détermination d'introduire partout où ces mesures seront indiquées, le contrôle et la propriété publics pour remplacer la présente domination monopolistique de notre économie et de toute notre société par les grandes entreprises.

Un tel mouvement devra se consacrer à la tâche de reconstruire démocratiquement notre société pour en arriver à ce que la coopération remplace l'âpreté au gain, pour que le développement ordonné remplace l'exploitation de l'homme par l'homme, pour que l'union entre fermiers et ouvriers, entre l'est et l'ouest, entre les Canadiens de langue française et les Canadiens de langue anglaise remplace les sentiments de discorde et les sources de conflit. Son objectif doit être de construire notre société sur les bases morales de la justice sociale et de la dignité humaine.

Pour ces raisons, le congrès du P.S.D. reçoit d'une façon bienveillante la résolution adoptée par le Congrès du travail du Canada à sa convention de Winnipeg en avril 1958 en vue de fonder un tel mouvement politique, de concert avec le P.S.D., les organisations agricoles et les autres groupes et individus prêts à marcher vers les mêmes objectifs. Lors de son congrès de fondation en 1956, le C.T.C. a adopté un programme politique que le parti C.C.F., quelques mois plus tard, endossait avec empressement, ce qui établissait une fois de plus l'identité du programme du parti C.C.F. avec les objectifs sociaux du travail organisé, tout comme les objectifs du C.C.F., sont identiques à ceux des organisations agricoles et d'autres groupes de la société. Depuis sa fondation d'ailleurs, le parti C.C.F. a toujours fait appel au travail organisé et au mouvement agricole pour qu'ils se joignent à lui afin de bâtir un mouvement politique populaire qui soit fort et vraiment représentatif de toutes les classes de la société. La résolution du C.T.C. marque une étape dans l'histoire politique de notre pays et offre l'occasion de faire de réels progrès.

C'est pourquoi le congrès du P.S.D. autorise son Conseil national et son exécutif national à rencontrer les dirigeants du Congrès du travail du Canada, ceux de la Confédération des travailleurs catholiques du Canada, les organisations agricoles et les autres groupes intéressés et lui demande de présenter un rapport de ces rencontres au prochain congrès national du parti ou lors d'un congrès spécial à cette fin. De plus, le congrès du P.S.D. autorise son Conseil national et son exécutif à entreprendre toutes les consultations et discussions nécessaires avec les membres et clubs du parti et demande que tout projet de constitution du nouveau parti soit soumis aux clubs et associations du parti pour discussions et recommandations avant d'être transmis au prochain congrès et que toute proposition, concernant le nouveau parti, qui devra être soumise au congrès du P.S.D., soit transmise aux clubs et associations C.C.F. au moins deux mois avant la prochaine convention[3].

3 BOURRET, F., «Le Colloque C.T.C.-P.S.D., à Winnipeg,» Relations Industrielles, octobre 1959, p. 576.

Le C.C.F. accepte donc la proposition de création d'un nouveau parti, s'engage à participer au processus de discussion préparatoire en vue de sa fondation et prévoit, en l'occurence, la tenue d'un congrès spécial du C.C.F. (qui aura effectivement lieu en 1960) pour prendre connaissance et discuter de l'état du projet et ratifier, s'il y a lieu, les principes de fondation du Nouveau Parti (statuts, etc.).

Dans les semaines qui suivent ce congrès du C.C.F. de 1958, un comité conjoint de 9 représentants du C.T.C. et de 9 représentants du C.C.F. est formé. Dès le début de son travail, ce comité, devenu le *Comité national du Nouveau Parti* (C.N.N.P.) désigne M. Stanley Knowles du C.T.C. comme président et M. Carl Hamilton du C.C.F. comme secrétaire.

C. La progression du Comité national du Nouveau Parti

L'essentiel du travail du Comité national du Nouveau Parti s'effectue à deux niveaux.

D'abord, il vise à permettre au sein des organismes impliqués, une discussion approfondie sur le projet et la raison d'être du Nouveau Parti, son programme, ses statuts, ses structures, etc.. Dès novembre 1958, le Comité national publie une première brochure sous le titre : *Un nouveau parti politique pour le Canada,* suivie en janvier 1960 de deux autres documents d'étude, l'un portant sur le projet de constitution du Nouveau Parti, l'autre sur le projet de programme. Deux journées d'études «nationales» sont organisées par le Nouveau Parti pendant cette période : la première à Winnipeg en août 1959 et la deuxième à Montréal en décembre 1960. Elles visent à doter le Nouveau Parti d'une orientation politique précise.

Sous un deuxième aspect, le travail du Comité national consiste essentiellement à organiser et à renforcer les bases d'appui au Nouveau Parti : multiplier les contacts, les adhésions syndicales et individuelles, mettre en place des clubs du Nouveau Parti, etc., tout cela dans le but de donner un coup d'envoi significatif au congrès de fondation du Nouveau Parti désormais prévu pour l'année 1961. Sur ce plan, les progrès sont d'ailleurs indéniables. Malgré le fait que les associations agricoles, pour la grande majorité, décident de ne pas s'associer au projet en invoquant leur orientation dite «non-partisane» sur le plan politique[4], le Nouveau Parti connaît un départ organisationnel

---

4 Telle fut notamment la réponse des associations agricoles de l'Alberta, de la Saskatchewan et du Manitoba. Quant à la Fédération canadienne de l'agriculture et aux associations agricoles de l'Est du pays, celles-ci ne furent pas contactées.

solide, particulièrement dans les syndicats. En octobre 1959, le congrès de la Fédération du travail de l'Alberta auquel participent 280 délégués décide d'entériner la position du congrès du C.T.C. de 1958 et appelle tous ses syndicats locaux à prendre toutes les initiatives favorisant la construction du nouveau parti. Les Fédérations du travail de Colombie-Britannique, de la Saskatchewan, du Manitoba, de l'Ontario, et de Terre-Neuve font de même. Des assemblées d'organisation et des journées d'études sont organisées par le C.T.C. ou ses syndicats affiliés : à Montréal en septembre 1958, à Sudbury en mai 59, assemblée à laquelle participent 62 délégués syndicaux de la région, à Winnipeg en août 59 avec 300 délégués provenant majoritairement de syndicats et du C.C.F., etc.. En Ontario, aux élections provinciales de 1959, la Fédération du travail participe à une campagne électorale conjointe avec le C.C.F. Il en est de même en Colombie-Britannique la même année : une campagne conjointe du C.C.F. et de la Fédération du travail fait grimper les voix des candidats C.C.F.-F.T.C.B. à 35%. À l'élection précédente, le C.C.F. avait récolté 28% des suffrages. Le nombre de sièges passe également de 10 à 16. Sur la base de ces développements, en avril 1960, le congrès du C.T.C. réaffirme son appui au Nouveau Parti et donne mandat à ses dirigeants d'utiliser tous les moyens possibles pour travailler à la convocation et à la préparation du congrès de fondation du Nouveau Parti.

Une décision similaire est endossée par le congrès du C.C.F. au mois d'août 1960. Des comités provinciaux du Nouveau Parti sont créés et consolidés; selon un rapport du secrétaire national du C.C.F., M. Carl Hamilton, le Nouveau Parti compte, dès le mois de mai 1960, approximativement 30 «clubs» de 300 personnes chacun.

Le 31 octobre 1960, au cours d'une élection fédérale partielle à Peterborough, le candidat du Nouveau Parti est élu, renversant les candidats des deux vieux partis. Les effets de la construction du Nouveau Parti commencent à se concrétiser. Dans un article intitulé «L'idée d'un Nouveau Parti se répand à travers le Pays», le journal Le Devoir du 8 décembre 1959 constate les progrès en ces termes : «À travers la brume et la confusion du début, l'idée de la formation d'un nouveau parti populaire commence à poindre clairement dans toutes les provinces du Canada». Synthétisant les pas franchis de 1958 à 1961, Stanley Knowles écrira plus tard :

> Dès le début de 1961 ..., les espoirs se planifient, les plans se réalisent. L'idée du Nouveau Parti avait été examinée par un grand nombre de personnes. On avait réussi à lui accorder l'appui

et l'intérêt de nombreux milieux. Une victoire inattendue dans une élection complémentaire importante au fédéral allait donner les manchettes au Nouveau Parti dans tout le Canada. Le Comité national travaillait au projet de programme et de constitution, ainsi qu'aux autres plans et dispositions nécessaires pour le congrès de fondation. Les nombreux espoirs s'appuyaient en partie sur la conviction que le Nouveau Parti possède les réponses aux besoins de notre temps. Mais l'espérance trouvait aussi un aliment concret dans les progrès énormes pour la réalisation desquels un laps de temps très court n'avait pas été un obstacle.

Le mouvement qui avait pris naissance en 1958 progresse. Il est rendu beaucoup plus loin que ses initiateurs ne l'avaient espéré. On peut dire avec confiance qu'en 1961, un rêve deviendra réalité[5].

Le problème central qui pointe déjà à l'horizon en 1960, c'est celui de savoir si le Nouveau Parti trouvera sa place au Québec et sera en mesure de répondre aux besoins des travailleurs et aux aspirations nationales des Québécois.

---

5 KNOWLES, Stanley, *op. cit.,* p. 67.

Chapitre 6
LA PROGRESSION DU NOUVEAU PARTI AU QUÉBEC

A U Québec, la question posée dès 1958 est celle de savoir si le Nouveau Parti réussira là où le C.C.F. a échoué, c'est-à dire s'il réussira à se construire véritablement dans cette province? Alors que dans l'ensemble des autres provinces la question peut se situer exclusivement sur un terrain de classe (par exemple, est-il nécessaire au mouvement ouvrier et populaire de constituer son propre parti distinct et opposé à ceux du capital?), au Québec, tous pressent qu'une question supplémentaire intervient dans la réalisation du parti, du fait de l'oppression nationale des Québécois. Cette question ne peut être évitée et la manière de la poser et de la résoudre sera déterminante pour l'avenir du Nouveau Parti. S'ils en jugent par le congrès de novembre 1960 de la F.T.Q. qui appuie la création du Nouveau Parti, les dirigeants canadiens sont portés à croire que le parti est sur la voie du succès dans la province de Québec[1]. Mais simultanément, plus le projet avance, plus les éditoriaux de la presse et les positions exprimées dans des revues, telle *Cité Libre*, se font l'écho de doute ou d'opposition au projet.

A. Une idée «transplantée»?

Qu'il s'agisse de Gérard Filion, d'André Laurendeau ou de P. E. Trudeau, l'argumentation pour s'opposer au parti est à peu près la même. L'idée du Nouveau Parti est une idée «transplantée» au Québec à partir du Canada anglais, dans une province où l'idée du «travaillisme» ou du «socialisme» n'a guère de chance d'évoluer. Dans un éditorial intitulé «Sur l'avenir du travaillisme au Canada», André Laurendeau pose le problème en ces termes : «Il resterait à voir aussi, dit-il, si l'on peut intégrer un travaillisme canadien au groupe canadien-français, et si c'est possible, à quelles conditions»[2]. «Il serait puéril de s'attendre à un départ foudroyant», de dire Gérard Filion, en août 1960[3].

---

1 KNOWLES, Stanley, *op. cit.,* p. 84.
2 *Le Devoir*, 2 août 1958.
3 *Le Devoir,* 13 août 1960.

Pierre Elliott Trudeau, de son coté, tend même à identifier le Nouveau Parti à un mort-né :

> Nous serions d'accord aussi sur l'importance d'avoir au Québec un puissant parti de gauche. Mais c'est sur la possibilité actuelle de ce parti que nous différons d'opinion; et nous craignons qu'à forcer sa naissance nous le l'accouchions mort-né[4].

Quelques mois plus tôt, la revue *Cité Libre* déclarait :

> Si donc les conditions d'établissement du Nouveau Parti dans le Québec n'existent pas, il est inutile de faire comme si elles existaient : il faut commencer par les établir et ne pas se laisser bousculer par des échéances que d'autres se sont fixées dans d'autres provinces[5].

Ainsi le Nouveau Parti ne trouverait pas de racines sur lesquelles appuyer sa fondation et son développement au Québec, d'où son échec prévisible.

Le sociologue Louis-Marie Tremblay reprend sensiblement le même type d'interprétation dix ans plus tard à propos des origines du Nouveau Parti au Québec :

> Si l'idéologie de l'ancienne F.U.I.Q. en matière politique paraît imprégner l'idéologie officielle de la F.T.Q. dès sa création, le projet d'engagement politique partisan *n'est pas le fruit d'une évolution intrinsèque, mais celui d'un processus d'imitation de l'orientation de la centrale canadienne.* En effet, en approuvant le projet de formation d'un nouveau parti en 1960 et en invitant les travailleurs québécois à participer à l'avènement d'une véritable démocratie économique, politique, sociale et nationale à l'intérieur du N.P.D. en 1961, *la F.T.Q. épouse tout simplement au niveau provincial la démarche du C.T.C.* au niveau fédéral. C'est peut-être ce qui constitue à la fois une force et une faiblesse[6].

Quant à l'éditorialiste André Laurendeau, il a déjà, en 1961, un point de vue semblable sur les événements, qualifiant le Nouveau Parti de «fausse fenêtre» pour les Québécois :

> En 1961, dit-il, le Nouveau Parti apparaît encore comme une opération de l'esprit, une décision prise au sommet et qui attend longuettement les complexes ratifications des diverses bases.
>
> Il convenait, semble-t-il, que les syndicats ouvriers entrent plus directement dans l'action politique. Il convenait qu'ils fassent appel à la collaboration, jusqu'ici évanescente, des autres groupes sociaux. Il convenait que le P.S.D. se laisse absorber par un tout plus vaste. Tout cela en effet convenait, convient encore, se fait sans bruit sous nos yeux ou tente de se faire; mais ni le

4 «La Restauration», P. E. Trudeau, *Cité Libre*, janvier 1961, no 33, p. 2.
5 *Cité Libre*, août 1960.
6 TREMBLAY, L. M., *op. cit.,* p. 167. L'italique est de nous.

coeur ni les viscères n'y sont. On voit le Nouveau Parti sans l'entendre ni le sentir. Il ne se répercute pas. Il a une essence mais pas d'être ...

Je parle de ce qui se passe au Canada français. Il en est peut-être autrement dans le reste du pays au moins à l'ouest d'Ottawa. Mais justement, on a l'impression que la naissance du Nouveau Parti dans le Québec répond à un désir de concordance : «s'il naît ailleurs, pourquoi pas au Canada français». Ces *pourquoi pas* manquent de dynamisme, ils n'ont pas les promesses de vie temporelle. Le Nouveau Parti dans le Québec a l'air d'une fausse fenêtre, plaquée là pour répondre à un besoin de symétrie. Il n'a trouvé chez nous ni son langage ni ses porte-parole. Vu de l'extérieur, il apparaît comme la réplique politique d'un office fédéral de traduction ...

Dans le Nouveau Parti, le Wagon du Québec est un wagon vide, accroché à une locomotive dont personne ne sait encore où elle va[7].

Ces interprétations concordantes, encore assez largement répandues aujourd'hui, correspondent-elles à ce qui s'est effectivement passé? Le lancement du Nouveau Parti au Québec est-il, de 1958 à 1961, une simple «réplique» manquée d'un mouvement parti du Canada anglais? Sinon, quelles bases propres a-t-il au Québec?

Il nous faut répondre à cette question. Mais il importe aussi d'analyser le traitement accordé à la question du Québec dès les premiers moments de la fondation du parti.

B. Les racines du Nouveau Parti au Québec

Le mouvement pour la fondation d'un troisième parti était-il, oui ou non, une simple idée transplantée du Canada anglais?

Au milieu des années 50 au Québec, après la grève de Louiseville de 1952 et l'imposition des lois 19 et 20[8] en 1954, le mouvement de riposte contre le régime duplessiste s'est développé progressivement : constitution d'un front commun F.U.I.Q.-C.T.C.C. contre les bills 19 et 20, série d'assemblées conjointes dans les principaux centres du Québec, marche sur le Parlement de Québec qui rassemble 3 000 ouvriers, etc.. La grève de Murdochville de 1957, qui donne lieu à une nouvelle

---

7 *Le Devoir*, 3 janvier 1961, éditorial; «Le Nouveau Parti, dans le Québec, une fausse fenêtre.»

8 Ces deux lois marquaient une offensive contre le mouvement syndical; la loi 19 menaçait de décertification tout syndicat qui admettait dans ses rangs, à titre d'officiers, des militants communistes; et la loi 20, dont l'application était rétroactive à 1944, interdisait le droit de grève aux syndicats du secteur public sous peine de décertification.

marche sur lo Parlement va quant à elle être le terrain d'un approfondissement sans précédent de l'opposition anti-duplessiste dans la province, particulièrement dans le mouvement syndical.

Dans ce contexte, c'est bien avant le coup d'envoi de la fondation du Nouveau Parti en 1958, que la question de l'action politique indépendante des travailleurs commence à surgir dans les rangs du mouvement ouvrier au Québec. Au deuxième congrès de la Fédération des unions industrielles en juin 1954, les délégués ont approuvé une résolution du Comité d'action politique de la centrale appelant à la préparation d'un *manifeste* politique «qui énoncerait les droits fondamentaux que nous revendiquons en tant que citoyens de la province de Québec et en tant que syndicalistes»[9]. Dans leur rapport au congrès, Raymond Lapointe et Fernand Daoust, président et secrétaire du C.A.P., déclarent que : «... la campagne de protestation contre les Bills 19 et 20 a été l'occasion de mettre en lumière la nécessité plus urgente que jamais, de faire de l'action politique»[10]. Ce manifeste est effectivement rédigé et présenté au congrès suivant de la F.U.I.Q. en 1955. La question de la formation d'un parti du travail au Québec est déjà au centre du débat. Le manifeste qui a été rédigé par les cinq membres du C.A.P. contient deux résolutions; l'une, majoritaire, soutenue par quatre membres du comité[11], défend la nécessité de créer un troisième parti au Québec. L'autre, minoritaire[12], propose, en opposition à la première, que la F.U.I.Q. s'en tienne à sa politique d'appui au vieux parti C.C.F.. Après un débat «orageux», face à l'opposition conjointe des dirigeants partisans du C.C.F. et de ceux qui s'opposent à toute action politique indépendante, la proposition est rejetée à la majorité des voix[13].

Mais la question de l'action politique indépendante et du parti des travailleurs a été soulevée. Elle va d'ailleurs resurgir au deuxième congrès de la F.T.Q. en novembre 1957, quelques mois avant le projet du Nouveau Parti. C'est la direction de la centrale qui a alors refusé de s'engager dans cette voie. Mais le fait que le problème ressorte des luttes concrètes et de la conjoncture au Québec témoigne déjà que le terrain est favorable ici à la proposition de Winnipeg qui vient quelques mois plus tard.

---

9 À ce sujet, voir le livre de Roch DENIS, *Lutte de classes et question nationale au Québec (1948-1968), op. cit.,* pp. 160 à 169.

10 *Ibid,* p. 160.

11 Il s'agit de Charles Devlin, Roméo Mathieu, Jacques V. Morin et Philippe Vaillancourt.

12 Soutenue par William Dodge.

13 TREMBLAY, L. M., *op. cit.,* p. 136.

Dire que l'idée du Nouveau Parti n'est, au Québec, qu'une greffe sur un corps étranger, ne rend donc pas compte de la réalité.

1. DES PROGRÈS SUBSTANTIELS.

Les événements entourant la formation du Nouveau Parti de 1958 à 1961 tendent aussi à montrer que le projet a des racines au Québec. Examinons la situation d'un peu plus près.

Aux deux congrès du C.T.C. où la question du Nouveau Parti est débattue, soit en 1958 et en 1960, les délégués du Québec, dans une large majorité, appuient le projet. En 1958, seul un petit nombre d'entre eux s'y oppose, rapporte *La Presse*[14]. Ils sont de l'aile droitière, et l'on compte parmi eux Louis Laberge, président du Conseil du travail de Montréal. Ce dernier est intervenu pour expliquer qu'il y avait un travail préalable à faire afin d'éduquer les membres et de les convaincre qu'ils doivent s'occuper d'action politique[15]. Mais sa position a été battue. Au congrès de 1960, les délégués du Québec réitèrent en très grande majorité leur appui au projet de fondation du Nouveau Parti[16].

Deux ans plus tôt, au congrès de la F.T.Q. de décembre 1958, il n'y a que six dissidents sur 450 délégués pour s'opposer au parti : l'enthousiasme des participants au moment du vote en faveur de l'appel de Winnipeg, montre à lui seul que l'idée du parti du travail n'est pas une simple transplantation. Les délégués décident de créer un nouveau parti politique, qui tout en s'harmonisant à l'organisation canadienne, servirait aussi d'instrument de lutte des travailleurs québécois contre le régime de Duplessis, l'Union nationale et le parti libéral, et serait fondé sur le respect des «légitimes aspirations de la population du Québec». Voici le texte de la résolution adoptée :

> Il est impérieux de mettre sur pied dans la province de Québec un mouvement dont le programme tout en s'harmonisant à celui de l'organisation nationale en ce qui a trait aux questions relevant de la juridiction fédérale, tiendrait compte des problèmes particuliers à la province de Québec, ainsi que des légitimes aspirations de la population de notre province sur des sujets tels que l'éducation, la politique fiscale et autres[17].

Le 3 mai 1959, confirmant cette orientation, une réunion de 125 agents d'affaires et représentants de la F.T.Q. constate :

---

14 *La Presse*, jeudi, 24 avril 1958.

15 *Ibid*.

16 *Le Monde Ouvrier*, mai 1960, p. 1.

17 *Le Monde Ouvrier*, mai 1959, «Le P.S.D. d'accord avec la F.T.Q. pour la formation d'un Nouveau Parti».

Une partie de la délégation du Conseil du travail de Montréal et de la F.T.Q. au congrès du C.T.C. d'avril 1960, à Montréal. À la droite de la photo, Louis Laberge et Donald MacDonald.

«l'urgence de continuer l'action politique et d'accélérer l'éducation politique dans tous les secteurs du mouvement syndical»[18]. Dans le cadre de cette «accélération» nécessaire, un comité du Nouveau Parti est créé au sein de la F.T.Q. sous la responsabilité du Comité d'éducation et d'action politique de la Fédération. Un comité conjoint F.T.Q.-P.S.D. est également mis sur pied et se réunit à quelques reprises au cours de l'année 1959[19].

2. LE CONGRÈS DE LA F.T.Q. DE 1960.

Enfin le congrès de la F.T.Q. de novembre 1960 auquel participent plus de 500 délégués prend la décision finale en faveur du parti. La dimension nationale de l'enjeu pour le Québec est aussi soulevée. Dans son discours d'ouverture, Roger Provost insiste sur la nécessité que le Québec prenne toute sa place dans le Nouveau Parti :

> La Province de Québec a des caractéristiques et une culture qui lui sont propres. Il est essentiel qu'elle puisse au sein du Nouveau Parti travailler à l'épanouissement de sa culture et de son caractère.
>
> Pour ce faire, il faut que nous soyons au congrès de fondation une délégation nombreuse et puissante afin de faire comprendre, accepter et reconnaître le vrai visage du Québec, tant sur le plan culturel que sur le plan social et politique[20].

De son côté, le rapport du Comité d'éducation et d'action politique insiste sur la construction du parti au Québec pour y faire la lutte aux deux vieux partis capitalistes :

> Comme nous ne croyons pas le parti libéral assez démocratisé, ni suffisamment libéré de ses servitudes financières pour répondre aux aspirations du peuple, nous prévoyons que le nouveau parti provincial constituera sous peu le véritable parti d'opposition et qu'il ralliera tous les éléments sains, déçus par l'expérience capitaliste[21].

---

18 «La F.T.Q. continue d'aller de l'avant en politique», *Le Monde Ouvrier*, mai 1959, p. 1.

19 Ce comité est composé, pour la F.T.Q., de Roger Provost, d'Édouard Larose, d'Eucher Corbeil, de Roméo Girard, de Pat Burke et de quatre membres du Comité d'éducation et d'action politique, soit Ken Dewitt, L.H. Lorrain, Jean Philip et Jacques V. Morin. Le P.S.D. y est représenté par Michel Chartrand, Émile Boudreau, Cyrille H. Durocher, Michel Forest, Gabriel Gagnon et Thérèse F. Casgrain. Le journaliste F. Bourret tire de cette composition l'interprétation suivante : «le comité a cherché à éviter l'erreur du P.S.D. où l'absence de représentants authentiques du Québec et des Canadiens-français l'a privé de l'appui des masses populaires du Québec et a été l'une de ses faiblesses sur le plan national».
BOURRET, F., «Le Colloque C.T.C.-P.S.D. à Winnipeg», *Relations Industrielles,* octobre 1959, p. 579.

20 «Le Québec doit être présent à la fondation du nouveau parti», *Le Devoir*, 18 novembre 1960, p. 9.

21 *La Presse*, 21 novembre 1960.

Autre signe des temps, plusieurs anciens adversaires du Nouveau Parti, dont Jean-Baptiste Hurens, président du Conseil du travail de Québec, sont entraînés par la vague et prennent désormais position en faveur du projet[22]. La proposition du C.E.A.P. est votée à l'unanimité; en voici le texte intégral :

1. Que la Fédération des travailleurs du Québec appuie et fasse siennes les résolutions d'action politique adoptées aux congrès du Congrès du travail du Canada, en avril dernier à Montréal et à Winnipeg en 1958, et prévoyant la participation syndicale à la formation du Nouveau Parti.

2. Que la Fédération collabore au sein du Comité provincial du Nouveau Parti, à l'envoi d'une délégation représentative du Québec au congrès national de fondation du Nouveau Parti en août 1961.

3. Que la Fédération collabore au sein du Comité provincial du Nouveau Parti à la mise sur pied d'une organisation efficace tant sur le plan de la circonscription électorale que sur celui de l'organisation professionnelle en vue des prochaines élections fédérales.

4. Que la Fédération collabore au sein du Comité provincial à la préparation et à l'organisation d'un congrès de fondation du nouveau parti sur le plan provincial, en vue d'y assurer une pleine représentation des travailleurs du Québec.

5. Que la Fédération collabore au sein du Comité provincial à la mise sur pied d'une organisation efficace tant sur le plan de la circonscription électorale que celui de l'organisation professionnelle en vue des prochaines élections provinciales.

6. Que la Fédération s'emploie à faire participer pleinement ses affiliés à une prochaine campagne de souscriptions, à raison d'un dollar par membre, en vue de financer la mise sur pied d'une organisation efficace capable de faire face aux machines électorales des vieux partis qui sont toutes deux financées par les grandes sociétés industrielles et commerciales[23].

Il est à noter que cette résolution, en plus d'accorder l'appui de la F.T.Q. à la création du Nouveau Parti au plan fédéral, prévoit la création d'un parti du travail au Québec, s'appuyant sur «une pleine représentation des travailleurs du Québec». Suite au vote, plus de 60% des délégués signent leur carte d'adhésion au Nouveau Parti. C'est un fait sans précédent dans l'histoire du mouvement ouvrier au Québec.

Le congrès est suivi de deux conférences importantes qui renforcent le mouvement de construction du Nouveau Parti. D'abord une *Conférence des intellectuels canadiens-français* sur le Nouveau Parti tenue le 26 novembre 1960 à Montréal et à

---

22 «La F.T.Q. sera présente à Ottawa lors de la fondation du nouveau parti politique», *Le Devoir*, 21 novembre 1960, p. 3.

23 *Nouvelles du Nouveau Parti*, vol. I, no 2-3, nov.-déc. 1960.

laquelle participent quelques 150 personnes[24]. Les 3 et 4 décembre, toujours à Montréal, un Colloque d'orientation sur le programme et les statuts est organisé, et quelques 400 personnes y participent.

Ces développements politiques rendent compte des bases réelles du Nouveau Parti au Québec. Tout ce processus ne peut pas être réduit à une opération qui se serait déroulée au sommet de l'appareil syndical. Les progrès notoires du recrutement avant même la fondation officielle du Parti sont aussi significatifs. Au mois de mai 1961, le Nouveau Parti du Québec compte déjà près de 10 000 membres. Quelques 1 600 membres proviennent des clubs du Nouveau Parti, dont les deux tiers (2/3) de Montréal, et quelques 7 000 à 8 000 sont des «affiliés», membres de syndicats et principalement de la F.T.Q.[25]. Les progrès sont particulièrement sensibles au cours des deux mois qui précèdent le congrès de fondation. Par exemple, en date du 2 juin 1961, 47 syndicats de la F.T.Q. se sont affiliés au Nouveau Parti. La majorité d'entre eux proviennent du secteur de l'alimentation, de la métallurgie et du textile[26]. À la toute veille du congrès de fondation, selon les informations du *Devoir*, 55 syndicats sont affiliés, ainsi que 85 clubs groupant plus de 3 000 membres[27]. Roger Provost tire la conclusion suivante de ces premiers résultats :

> Si l'on songe que la politique est une activité relativement nouvelle pour les travailleurs du Québec et que la décision de la F.T.Q. de participer à la formation du Nouveau Parti ne remonte qu'à novembre dernier, on peut dire que ce mouvement politique prend un excellent départ dans notre province[28].

Le mouvement vers la fondation du Nouveau Parti, comme on le constate, s'appuie, au Québec comme dans les autres provinces et à l'échelle fédérale, sur les organisations ouvrières, les syndicats[29].

Les affirmations de Louis-Marie Tremblay, d'André Laurendeau, de P. E. Trudeau et de *Cité Libre* que nous avons citées plus haut, qualifiant le Nouveau Parti de projet

---

24 Les principaux orateurs étaient Marcel Rioux, Gérard Filion, Gérard Picard, Thérèse Casgrain, et Pierre Vadeboncoeur.

25 *Nouvelles du Nouveau Parti*, vol. I, no 5-6, avril-mai 1961.

26 *Cooperative Press Association*, 13 juillet 1961.

27 BOURRET, F., «L'avénement du néo-socialisme au Canada I, Le Nouveau Parti, formation démocratique et nouveau levier des couches populaires», *Le Devoir*, 28 juillet 1961.

28 Déclaration publique de Roger Provost, *La Presse*, 8 juillet 1961.

29 À notre connaissance, ces données sur les adhésions au N.P.D. à la veille de sa fondation n'ont jamais été publiées.

«transplanté», plaqué et sans racine au Québec, ne nous paraissent donc pas traduire la réalité des faits, à tout le moins en ce qui concerne le mouvement ouvrier, qui constitue la force décisive du Nouveau Parti. Ces affirmations illustrent davantage l'opposition de leurs auteurs au projet de parti qu'un exposé rigoureux de la situation réelle. Il faut aussi éviter d'expliquer à posteriori les grandes difficultés du N.P.D. au Québec en disant qu'il n'avait pas de racine ou qu'il fut une opération plaquée. Le parti pouvait bel et bien avoir une base ici et connaître malgré tout, par la suite, ces difficultés pour d'autres facteurs. Nous devrons analyser cet aspect décisif du problème.

Constatons pour l'instant que l'idée du troisième parti, celui du travail, n'est pas venue seulement de Winnipeg, mais peut-être d'abord d'Asbestos, de Louiseville et de Murdochville. Cela étant dit, rien n'empêche de noter que, le sol étant favorable à l'idée, la résolution de Winnipeg a quand même fourni le coup de pouce nécessaire à bon nombre de membres de l'appareil syndical québécois dont le conservatisme et l'hésitation craintive les avaient empêchés jusqu'alors de prendre les devants pour la création du parti au Québec. Avec l'appui de l'appareil syndical canadien, il leur était plus facile de s'engager. En ce sens, mais en ce sens seulement, on pourrait dire que la création du Nouveau Parti est demeurée, au moins pour une partie de l'appareil syndical, une proposition venue de l'extérieur qu'ils ont eu mandat de «transplanter ici».

C. La position de la C.S.N.

Si la presse manifeste son opposition au Nouveau Parti, souvent sous la forme du scepticisme quant à ses chances de succès au Québec, elle sait néanmoins reconnaître l'impact qu'aurait ce parti si ses bases se trouvaient assurées au Québec. Au mois de novembre 1959, le journal *Le Devoir* écrit à ce sujet :

> Si le mouvement syndical tout entier, le mouvement coopératif en général et le secteur agricole tombaient d'accord, les observateurs prédisent que l'aile québécoise du parti changerait toute la carte politique du Canada[30].

En d'autres termes, si toutes les organisations créées pour la défense des intérêts de la population laborieuse s'unissaient au Québec pour donner le coup d'envoi au parti, celui-ci provoquerait un changement majeur dans la situation politique générale et modifierait totalement les données de la lutte politique au Québec et au Canada.

---

30 «L'idée d'un Nouveau Parti se répand à travers le Pays», *Le Devoir*, 8 décembre 1959.

Mais en 1961, justement, tout le mouvement syndical ne s'implique pas dans la création du Nouveau Parti. Il s'agit d'une faiblesse dont on mesurera mieux toute l'importance un peu plus tard.

Déjà au départ, certains syndicats de la F.T.Q. ne se sont pas associés au projet : c'est le cas, par exemple, du Conseil des métiers de la construction de Montréal dirigé par Edouard Larose qui est en même temps, à cette date, vice-président de la F.T.Q.[31]. De son côté, la Confédération des travailleurs catholiques du Canada (C.T.C.C.)[32] a des traditions de «neutralité» politique officielle qui s'opposent à une action politique directe pour la création d'un parti des travailleurs. Néanmoins, elle peut difficilement éviter de prendre position face au processus engagé pour le Nouveau Parti. Pour ce dernier, l'attitude de la C.T.C.C. représente un enjeu très important. À ce propos, le journaliste Fernand Bourret du journal *Le Devoir* écrit : «... plusieurs observateurs estiment que sans la participation de la C.S.N., le Nouveau Parti aura peu de succès dans le Québec»[33]. Au congrès de la C.T.C.C. de septembre 1958, quelques mois après la décision historique du C.T.C. d'avril, la direction de la centrale a réitéré sa position traditionnelle. Mais déjà ce congrès a été l'expression d'une volonté d'action politique indépendante. Deux résolutions en ce sens ont été présentées, l'une par le Conseil régional Saguenay-Lac St-Jean, l'autre par la Fédération nationale de la métallurgie. La résolution de la Fédération de la métallurgie demandait que la C.T.C.C. s'associe à la fondation du Nouveau Parti. Son président, Adrien Plourde, avait notamment écrit :

> L'attitude dictatoriale de M. Duplessis, le chômage, le scandale du gaz naturel, la grève de Murdochville, le pipeline et la crise du Moyen-Orient ont été autant de facteurs qui ont mûri les esprits vers une action politique par les syndicats ouvriers ... Pour démocratiser la politique, il faut s'en mêler ... Un jour qui n'est peut-être pas très loin, nous devrons améliorer le sort de nos membres, surtout sur le plan de la législation. Il faut se préparer à cette éventualité quasi certaine, car si sur le plan des conventions collectives, il est difficile de progresser, il faudra faire partager nos efforts ailleurs[34].

La résolution des métallos fut battue sous la pression de la direction de la centrale et de son président Jean Marchand qui

---

31 *Le Monde Ouvrier*, mai 1959, p. 6.

32 Qui allait prendre le nom de *Confédération des Syndicats Nationaux* (C.S.N.) en 1960.

33 BOURRET, F., «Le Nouveau Parti : formation démocratique et nouveau levier des couches populaires», *Le Devoir*, 28 juillet 1961.

34 *Le Travail*, 26 septembre 1958, p. 5-6.

demandait aux délégués de s'en tenir aux articles de la constitution qui spécifiaient que la C.T.C.C. devait demeurer à l'écart
de tout parti politique. Mais la question de l'action politique indépendante et du Nouveau Parti avait été posée.

En novembre, deux mois plus tard, elle va resurgir. La
F.T.Q. vient de s'engager dans la création du Nouveau Parti. Le
président Roger Mathieu de la C.T.C.C. fait alors une déclaration publique dans laquelle il annonce que le Bureau confédéral de la centrale a accepté l'invitation de la F.T.Q. et du
C.T.C. de s'associer «aux pourparlers qui auront lieu en vue de
la fondation d'un nouveau parti politique et de la formulation de
son programme»[35]. R. Mathieu tient cependant à réduire la
portée du geste et à en fixer étroitement les limites :

> Pas plus aujourd'hui que dans le passé, dit-il, les dirigeants,
> militants et membres de la C.T.C.C. ne souhaitent l'arrivée au
> pouvoir, que ce soit à Québec ou Ottawa, d'un parti ouvrier qui
> aurait pour but de servir exclusivement les intérêts de la classe ou-
> vrière au détriment des autres classes de la société.

La participation de la C.T.C.C. aux pourparlers resterait dans les
limites suivantes :

> Notre mouvement sera en mesure de dire à qui de droit ce qu'il
> attend d'un parti politique qui veut être au service du bien
> commun ... Et n'est-il pas plausible de croire qu'un parti en ges-
> tation est plus susceptible d'être influencé par nous que ne le sont
> en réalité les vieux partis? Ceux-ci ont déjà prouvé il y a déjà
> longtemps qu'ils sont imperméables à tout ce qui vient de la
> classe ouvrière.

Tout en réitérant les principes traditionnels de la centrale au
nom de la «non-partisannerie», il est important de noter que la direction de la centrale, s'associe «pour la première fois de son
histoire, aux pourparlers de construction d'un 'troisième parti' et
à l'élaboration de son programme. Cela même témoigne de la
force du mouvement dans lequel elle est entraînée»[36].

La direction de la C.T.C.C. participera aux pourparlers en
vue de la création du troisième parti. Mais la centrale syndicale
ne s'impliquera pas dans le travail de préparation, de construction et de fondation du Nouveau Parti. Au cours d'une
journée d'étude organisée par la Fédération du textile de la
C.T.C.C., sous le thème *Les syndicats et l'action politique*,
Gérard Pelletier, directeur des relations extérieures de la

---

35 MATHIEU, Roger, «Déclaration», *Le Travail*, organe de la C.T.C.C., le 12
    décembre 1958, tiré du livre de R. DENIS, *op, cit.,* p. 178.
36 DENIS, Roch, *op. cit.,* p. 179.

centrale, développe une orientation politique contraire à l'action politique ouvrière indépendante, conformément aux traditions de la C.T.C.C..

> Si le gouvernement actuel est maintenu au pouvoir en 1960 avec une majorité forte ou accrue, ce sera un désastre, surtout pour le mouvement ouvrier. Ce qu'il importe donc et *au-dessus de tout*, c'est de diminuer la majorité actuelle du gouvernement provincial, de la mettre en minorité si possible. Pour y réussir, toutes les forces d'opposition doivent oublier leurs ambitions particulières, faire cause commune et unir leurs forces pour nous délivrer du gouvernement actuel[37].

En d'autre termes, Pelletier appelle à l'union des forces démocratiques. C'est exactement l'orientation préconisée depuis 1956 par P. E. Trudeau et *Cité Libre* et exprimée par la fondation du Rassemblement. Cette orientation qui ouvre la porte à l'alliance avec les libéraux, s'oppose évidemment à l'orientation qui a présidé à l'idée du troisième parti. Au lendemain des élections du 22 juin 1960 au Québec qui voient l'élection des libéraux, le secrétaire-général de la C.T.C.C., Jean Marchand, s'empresse d'attaquer ouvertement l'idée du parti ouvrier :

> J'ai affirmé à Kingston que je ne croyais pas à un parti ouvrier. Je n'y crois pas pour deux raisons : premièrement parce qu'en principe, c'est inadmissible, et, deuxièmement, parce qu'un tel parti ne peut prendre le pouvoir que par la force.
>
> Le bien commun politique ne pouvant s'identifier au bien particulier d'une classe — si importante que soit cette classe — je ne vois pas comment un parti ouvrier pourrait se justifier moralement ... Un parti greffé sur une seule classe ne peut trouver l'appui démocratique minimum à l'obtention du pouvoir politique[38].

Marchand donnait officiellement son appui au parti libéral :

> La C.C.F. a très bien compris qu'il lui fallait élargir sa clientèle électorale si elle voulait devenir un grand parti canadien ... S'il est heureux que la C.C.F. se trouve une assiette électorale élargie, il est également de bonne augure que les «vieux partis» sentent le besoin de se démocratiser et d'élaborer des programmes qui répondent mieux aux aspirations de la population. On pourra être plus ou moins optimistes, ou plus ou moins pessimistes, sur ces tentatives de renouvellement, mais on ne peut à priori les condamner à l'échec ou présumer la mauvaise foi ... Dans le domaine provincial, je crois que l'expérience libérale est valable et qu'il faut appuyer les éléments du parti qui cherchent honnêtement une

---

37 Réunion tenue le 25 octobre 1958. Tiré des documents d'archives de la C.S.N..

38 MARCHAND, Jean, «L'évolution des partis politiques», *Cité Libre*, no 32, décembre 1960, p. 18.

En 1960, Jean Marchand, secrétaire-général de la C.T.C.C. donne son appui au parti libéral. Gérard Picard, ancien président de la centrale, adhère pour sa part au Nouveau Parti dont il devient co-président au congrès de fondation.

Pierre Elliott Trudeau : pour l'union des forces démocratiques, contre le Nouveau Parti.

solution à nos problèmes. En somme, notre première tâche, comme le disait P. E. Trudeau, est de créer la démocratie[39].

L'appui au Parti libéral, et l'opposition au N.P.D. livrée sous la forme de l'attaque contre le parti ouvrier a comme conséquence d'affaiblir considérablement le mouvement engagé au Québec pour le Nouveau Parti.

Le Nouveau Parti au Québec ne connaîtra donc pas dès sa fondation en 1961 toute l'ampleur voulue. Une part importante des travailleurs québécois organisés, ceux affiliés à la C.S.N. en particulier, sont coupés du processus. Seuls quelques-uns de ses dirigeants ou des militants y participent à titre individuel; c'est le cas, par exemple, de Michel Chartrand et de Gérard Picard.

D'autres facteurs expliquent aussi cette faiblesse de départ. Par exemple, les dirigeants de la F.T.Q. qui proclament la nécessité d'un nouveau parti, n'engagent pas de bataille politique pour des candidatures ouvrières contre le parti libéral et l'Union nationale le 22 juin 1960 au Québec. Cela ne peut guère contribuer à réchauffer l'élan et la conviction en faveur du Nouveau Parti au Québec. Les campagnes électorales menées ailleurs par le Nouveau Parti, conjointement avec le C.C.F., à Peterborough, en Colombie-Britannique et en Ontario, dans la période 1958-1961, avaient pourtant servi d'exemple en aidant à la création du parti.

Nous devons maintenant aborder cette autre dimension fondamentale de la construction du parti au Québec qui concerne la place faite aux aspirations nationales des Québécois.

---

39 *Ibid.*

Chapitre 7
LA FONDATION DU NOUVEAU PARTI ET LA QUESTION DU QUÉBEC

L A participation efficace du Québec au lancement du Nouveau Parti exigeait que les Québécois y trouvent *toute* leur place, c'est-à-dire la reconnaissance de leurs aspirations nationales et la possibilité de les défendre pleinement par l'intermédiaire de la nouvelle formation politique. Sinon, quelle différence feraient-ils entre le Nouveau Parti et les partis dominants de la scène politique depuis toujours.

A. Une volonté nettement exprimée

Au congrès de la F.T.Q. de 1958 comme à celui de 1960, la conscience de cette nécessité que le Nouveau Parti prenne en charge les aspirations des Québécois s'il veut se construire comme parti de masse est déjà très vive. L'intervention de Fernand Daoust au congrès de la F.T.Q. de novembre en témoigne :

> Le Nouveau Parti, dit-il, connaîtra des succès à l'échelle nationale s'il prend des attitudes justes sur les réclamations et les aspirations du Canada français. Il est essentiel que les citoyens fassent connaître leur point de vue à Ottawa, qu'ils affirment notre croyance en la dualité de la culture, de langue et montrent aux autres délégations le vrai visage du Canada français.
>
> Le Nouveau Parti devra reconnaître et faire accepter par toute la nation canadienne le fait français du Québec. Il est donc essentiel et primordial que le Canada français, que des représentants de tous les milieux du Québec soient présents à Ottawa, lors de la fondation du Nouveau Parti[1].

Rappelant la «Conférence des intellectuels canadiens-français sur le Nouveau Parti» tenue le 26 novembre 1960, le sociologue Marcel Rioux rejoint cette ligne de pensée :

> Plusieurs participants au colloque du Nouveau Parti m'ont confirmé dans cette opinion en déclarant que les Canadiens-français doivent se sentir chez eux dans ce parti et pouvoir y éla-

---

1 *Le Devoir*, 21 novembre 1960, p. 3.

borer un programme qui soit en harmonie avec leur culture, leur mentalité et leurs aspirations ...*Un nouveau parti qui, dans le Québec, ne s'attaquerait pas au problème du laïcisme et du cléricalisme passerait à côté de la question la plus urgente et la plus délicate qu'il y ait à résoudre. Problème urgent parce que tout ce qui touche à la culture, à l'éducation, à l'hospitalisation, à l'assistance sociale, à la planification économique même en dépend. Présentement, aucun parti n'ose attaquer ce problème de fond : le parti libéral se montre d'une prudence tâtillonne là-dessus ... Difficile aussi parce qu'il n'est pas sûr que les promoteurs anglo-canadiens du Nouveau Parti accepteraient de voir son aile québécoise s'attaquer à un tel problème*[2].

Ainsi, la question nationale et les questions démocratiques qui lui sont liées, par exemple la question de la séparation de l'Église et de l'État, sont des revendications adressées au parti par ceux-là même qui sont ses plus chauds partisans, qui veulent le construire et savent à quelles conditions, sur le plan national, cela serait possible.

Déjà, en août 1959, à l'issue du Colloque national du Nouveau Parti à Winnipeg, les trois porte-parole de la délégation du Québec[3] ont expliqué en conférence de presse que le rôle primordial du Québec dans la nouvelle formation serait de trouver une «solution véritable et satisfaisante» au problème des relations fédérales-provinciales. Il faut régler, disaient-ils,

autrement que par des expédients politiques ce problème qui empoisonne depuis trop longtemps la nation canadienne.

Les vieux partis ont intérêt à ne pas régler la question des relations fédérales-provinciales parce que ça leur permet d'exploiter électoralement leur chicane avec Ottawa pour escamoter les vrais problèmes intéressant le bien-être de la population.

Cependant, seul un parti populaire et démocratique peut régler vraiment le problème, les vieux partis ne pouvant manifestement pas tirer des revenus supplémentaires de nouvelles taxations, comme les gains de capital, par exemple; en effet, ils perdraient alors de généreuses contributions des grosses compagnies à leur caisse électorale[4].

De leur côté, les dirigeants du Nouveau Parti à Ottawa affirment que les droits démocratiques seront respectés par la nouvelle formation politique.

À la conférence du Nouveau Parti du 3 décembre 1960 à Montréal, David Lewis déclare à cet effet : «Notre parti doit être

---

2   RIOUX, Marcel, «Socialisme, cléricalisme et Nouveau Parti», *Cité Libre*, janvier 1961, no 33, p. 7. L'italique est de nous.

3   Il s'agit de Thérèse Casgrain, de Roger Provost, et de Gérard Picard.

4   «Le Québec jouera son rôle au sein du Nouveau Parti», *Le Monde Ouvrier*, septembre 1959, p. 1.

un modèle de respect des droits des minorités, des différences culturelles, de la liberté de religion et de la diversité de nos systèmes éducationnels»[5].

B. Le projet de programme et de statuts

Mais où trouve-t-on, dans le projet de programme et dans le projet de statuts qui vont être soumis aux délégués du congrès de fondation, la reconnaissance des droits nationaux des Québécois? Le projet de programme ne remet pas en cause les Actes de l'Amérique du Nord Britannique et la situation d'oppression nationale des Québécois qui s'y trouve consacrée. Il ne traite pas de cette question comme telle et propose simplement «d'enchâsser dans la constitution actuelle la garantie des droits fondamentaux en matière d'éducation et de langue ainsi que la liberté politique essence même de la démocratie parlementaire»[6].

Au sujet de la loi de 1867, le projet de programme la considère comme une *constitution* et demande son rapatriement ainsi que la création d'un ministère des relations fédérales-provinciales. Le projet de programme proclame son adhésion indéfectible à la structure fédérale de 1867 et à l'unité de la «nation canadienne» :

> Le Nouveau Parti déclare formellement sa foi dans le fédéralisme qu'il considère comme le seul capable d'assurer le développement vigoureux et équilibré de la nation canadienne ...
>
> Deux langues et deux grandes cultures ont contribué à l'évolution du Canada. Son unité comme nation repose sur la reconnaissance et le respect intégral de chacune ...
>
> Pour donner un sens à la nation canadienne, le Nouveau Parti adoptera un drapeau et un hymne national distinctifs[7].

L'affirmation de l'existence d'une «nation canadienne» se retrouve dans le projet de statuts où le terme «national» est utilisé pour désigner chacune des instances fédérales du parti : bureau «national», conseil «national», exécutif «national», etc.. Le projet de statuts dit reconnaître l'autonomie des partis provinciaux, mais en autant que leur programme et leurs statuts n'entrent pas en conflit avec les principes fondamentaux du parti «national». La représentation des partis provinciaux au Conseil «national» du parti y est prévue.

---

5 *Le Devoir*, 7 février 1961.

6 *Projet de Programme, le Nouveau Parti*, C.N.N.P., Ottawa, mai 1961, p. 26. Nous reproduisons à l'Annexe 2 la partie du projet de programme ayant trait à la question nationale et au fédéralisme. Cette partie du programme s'intitule *Démocratie Totale*.

7 *Ibid*, p. 26-27.

Les réactions immédiates aux projets de programme et de statuts du Nouveau Parti sont pourtant assez positives chez les Québécois. Michel Chartrand, leader du P.S.D., se dit quant à lui «satisfait» du projet de «constitution»[8]. La réaction du *Monde Ouvrier*, organe de la F.T.Q., est très optimiste :

> Si l'on en juge par deux documents d'étude publiés par le Comité national du Nouveau Parti, il semble que la province de Québec est constamment au premier rang des préoccupations des promoteurs de ce projet lancé par le Congrès du travail du Canada de concert avec le Parti social démocratique. On a l'impression, à la lecture du projet de constitution, qu'il a été rédigé par des Canadiens-français autonomistes. Ce projet de constitution constitue une pleine reconnaissance du fait français[9].

Mais cette reconnaissance de l'existence des francophones du Québec, consignée dans la reconnaissance de leur langue et culture distinctes, n'est pas conçue en opposition aux A.A.N.B. et à la structure fédérale centralisée, mais plutôt comme un acquis de la fondation de l'État canadien dont il faut défendre l'intégrité.

C. À la défense du Canada

Les documents officiels du parti ne sont pas seuls à témoigner de cette orientation. Les dirigeants du parti, ceux du mouvement ouvrier canadien, des Québécois aussi, expriment sur la scène publique leurs allégeances fédéralistes. Par exemple, le président du C.T.C., Claude Jodoin, déclare dans son discours d'ouverture au congrès de la centrale syndicale en août 1960 :

> Il est temps que nous démontrions au monde par nos actes que nous avons grandi comme nation. Certains pays d'Afrique qui viennent d'accéder à l'indépendance doivent sourire lorsqu'ils songent à ce Canada de l'au-delà des mers que l'on considère comme l'un des premiers membres du Commonwealth mais qui ne possède pas encore son drapeau.

> Et n'éprouvez pas de gêne, à titre de Canadiens, lorsque vous êtes témoins d'une de ces confusions qui se produisent lorsqu'ils s'agit de chanter notre hymne national. Cette confusion se produira aussi longtemps que nous n'aurons pas pris de décision au sujet de notre hymne national. Certains prétendent que ce sont là des choses sans importance. Je crois au contraire qu'elles symbolisent la nationalité dont nous sommes fiers à juste titre[10].

---

8 «Le Nouveau Parti; le P.S.D. est satisfait du projet de constitution», *Le Devoir*, 22 janvier 1960, p. 2. «Projet de constitution» est l'expression utilisée par les dirigeants du N.P. pour signifier le projet de statuts du parti.

9 «Un parti taillé sur mesure pour les travailleurs du Québec», *Le Monde Ouvrier*, février 1960.

10 KNOWLES, Stanley, *Le Nouveau Parti, op. cit.,* p. 71.

Jean-Claude Lebel, organisateur du Nouveau Parti au Québec, dégage la signification des propos de Jodoin en disant souscrire pleinement aux vues du président :

> Éveil d'un nationalisme canadien. J'en suis certain. Maintenant cela commence à avoir une signification de parler d'un drapeau canadien, d'un hymne national canadien et d'un Canada indépendant. Les Anglais de l'Ouest l'ont compris, pas devant la poussée dominatrice de l'Angleterre, mais devant la poussée dominatrice des États-Unis[11].

Enfin, Stanley Knowles, dirigeant du Nouveau Parti, défend la même position fédéraliste et nationaliste canadienne.

> En général, dit-il, les Canadiens sont d'avis que nous devrions avoir les attributs ordinaires d'une nation : un drapeau, un hymne national, notre propre constitution. Certains faits récents devraient, en bonne logique, entraîner cette acquisition : ainsi celui de nommer des Canadiens éminents au poste de gouverneur général et de décréter que la Cour suprême du Canada est notre tribunal de dernière instance. Les adeptes du Nouveau Parti croient que nous devrions nous doter sans plus tarder de ces attributs encore inexistants. Mais ce qui se cache derrière ces symboles retient davantage leur attention. Ils veulent que l'identité canadienne signifie quelque chose. La plupart des Canadiens sont de cet avis. Il nous faut quelque chose qui nous donne plus qu'une certaine fierté par procuration : le sentiment de participer à la vie d'une nation dont l'existence même contribue au bien-être de toute la population. C'est donc dire que nous allons résoudre le problème historique du Canada, que nous allons créer une identité nationale de la même façon que l'on accomplit une tâche dans le domaine social ou économique. Si nous atteignons ce but, nous n'avons pas à nous inquiéter d'avoir un voisin dont la population est dix fois plus élevée que la nôtre. Notre identité sera réelle. Le Nouveau Parti ne cherchera pas à rallier les Canadiens par une attitude de bravade à l'endroit des États-Unis : il se fondera fermement sur cette idée qu'il est possible de donner à chacun le sentiment d'une participation à notre vie nationale. C'est ainsi également qu'être canadien voudra dire quelque chose[12].

Ainsi si l'on en juge par le premier projet de programme et de statuts du Nouveau Parti et par ces déclarations de foi envers le Canada-nation et le fédéralisme, il appert que les dirigeants du Nouveau Parti sont fondamentalement attachés à la défense de l'intégrité de l'État canadien et n'entendent considérer le «fait français» que dans ce cadre.

---

11 LEBEL, Jean-Claude, «Régina : le point de vue du nouveau parti», *Cité Libre*, no 30, octobre 1960, p. 25.
12 KNOWLES, Stanley, *op. cit.,* pp. 72-73.

La véritable portée de cette orientation va se révéler plus tard aux yeux des Québécois. Mais déjà l'identité très strictement «canadienne» que se donne le parti, au détriment de ce qui aurait pu être un programme de défense radicale des intérêts nationaux des Québécois, n'est pas de nature à soulever l'élan des travailleurs du Québec envers le parti.

Troisième partie
LA QUESTION NATIONALE AU CONGRÈS DE FONDATION

Q UELQUES temps avant le congrès de fondation du Nouveau Parti, les militants québécois précisent leur point de vue sur la question nationale. Leurs discussions sur cette question revêtent un caractère de plus en plus prioritaire. Nous voulons analyser les termes de ce débat, son évolution et sa signification.

Décidés, dès juin 1961, lors des débats préparatoires au congrès de fondation, à ne pas laisser aux promoteurs «canadiens» du Nouveau Parti le soin exclusif d'élaborer une orientation sur la question nationale, les militants du Québec entreprennent l'élaboration de leur propre position. C'est au cours de cette élaboration que les membres du Nouveau Parti au Québec défendent l'idée selon laquelle la Confédération canadienne doit être considérée comme un «pacte entre deux nations». Ils s'opposent ainsi à la thèse de la «nation canadienne» défendue par la direction du parti.

Chapitre 8

LES DÉBATS PRÉPARATOIRES AU SEIN DU COMITÉ DU NOUVEAU PARTI DU QUÉBEC

C OMMENCÉS vraiment en février 1961, les débats des militants du Québec aboutissent au printemps à une série de propositions et de recommandations relatives aux projets de programme et de statuts du Nouveau Parti qui auront à être acheminées et soumises au congrès de fondation[1].

A. La déclaration d'un groupe de syndicalistes du Nouveau Parti

Rappelons d'abord qu'en avril 1961, suite à l'enquête du journal *La Presse* qui révélait que 55% des ouvriers spécialisés et 56% des non-spécialisés auraient été favorables au séparatisme, *Le Monde Ouvrier,* organe officiel de la F.T.Q., décide de faire son propre sondage-maison qu'il entend confronter à celui de *La Presse. Le Monde Ouvrier* pose deux questions à 14 «représentants ou dirigeants syndicaux» :

1 Y a-t-il des ouvriers séparatistes?
2 Y a-t-il des leaders syndicaux séparatistes?

Les résultats, dans la mesure où ils peuvent être significatifs, tranchent radicalement avec ceux obtenus par le journal *La Presse.* Comme le rapporte André d'Allemagne, «à une exception (l'Union des artistes de Montréal) et quelques nuances près, toutes les réponses sont les mêmes : très peu d'ouvriers, pas de leaders syndicaux»[2].

---

1 Relatant l'assemblée des membres du Comité provincial du Nouveau Parti du Québec tenue le 4 février 1961, David Sherwood écrit : «Cette assemblée était probablement la toute première parmi l'ensemble des discussions qui visaient à définir les politiques et les structures appropriées dont devait se doter le Nouveau Parti au Québec. À ce moment, l'hypothèse séparatiste fut rejetée à l'unanimité mais il faut souligner que le Nouveau Parti devait être en mesure de répondre effectivement aux aspirations des Canadiens-français». SHERWOOD, D., *op. cit.,* p. 53. La traduction est de nous.

2 D'ALLEMAGNE, André, *op. cit.,* p. 94.

Mais la répercussion donnée par la presse au sondage du *Monde Ouvrier* va soulever beaucoup de mécontentement dans les rangs du Nouveau Parti au Québec et contribuer à faire évoluer certains de ses membres vers des positions plus tranchées sur la question du Québec. La conjoncture de la révolution tranquille les pousse aussi dans cette direction. En réponse aux «interprétations» des journaux, plusieurs membres et sympathisants publient au début du mois de juin une déclaration qui vise à corriger l'impression selon laquelle la plupart des chefs syndicaux seraient non seulement opposés au séparatisme et à l'indépendance du Québec mais également indifférents à la «question nationale canadienne-française». Il ne peut être qu'utile de citer intégralement cette déclaration. Soumise à la presse écrite, à la radio et à la télévision, elle constitue en réalité la première contribution substantielle de militants du Nouveau Parti du Québec sur la question nationale. Elle demeure la plus importante des contributions sur la question dans les débats préparatoires et marque, en quelque sorte, l'ouverture d'une discussion qui se poursuivra jusqu'au congrès de fondation.

Les soussignés déplorent la fausse impression qu'a créée parmi le public l'interprétation qu'ont donnée certains journaux à une enquête du *Monde Ouvrier* sur le séparatisme. Certaines déclarations que ces journaux ont citées, hors de leur contexte, donnent à croire que la plupart des chefs syndicaux non seulement s'opposent au séparatisme mais sembleraient complètement ignorer la question nationale canadienne-française.

Les nationalistes progressistes ont leur place dans le Nouveau Parti

À l'approche de la fondation du Nouveau Parti, nous sommes d'avis qu'il est fort inopportun de donner l'impression au public que nos syndicalistes, qui appuient ce parti, seraient inconscients des problèmes de notre collectivité. Cette fausse impression pourrait éloigner du Nouveau Parti les nationalistes progressistes qui, à notre avis, seraient tout à fait à leur place dans ce parti.

Afin de corriger cette fausse impression, nous soussignés, tous militants ou sympathisants du Nouveau Parti, désirons établir notre position sans équivoque au sujet de la question nationale.

Pour nous, socialistes, la nation est une communauté stable, historiquement constituée, de langue, de territoire, de vie économique et de formation psychique, qui se traduit dans la communauté de culture.

Le Canada : deux nations

Nous croyons donc que le Canada est formé de deux nations : la nation canadienne-française et la nation canadienne-anglaise. L'Acte de l'Amérique du Nord Britannique implique le respect de leurs droits respectifs : il est le résultat d'un pacte entre les deux nations qui constituent le Canada.

Les Canadiens-français concentrés au Québec

Ce fait bi-culturel du Canada et la concentration de l'une des deux nations dans la Province de Québec explique l'importance considérable des droits provinciaux parce que la négation des droits de la province de Québec équivaudrait à une violation des droits nationaux et démocratiques des Canadiens-français.

Après un siècle de rebuffades ...

Il n'est pas étonnant qu'après un siècle de rebuffades sur le plan fédéral et dans les autres provinces de la Confédération, les Canadiens-français considèrent, de plus en plus, l'état provincial du Québec comme la consécration politique de leur fait national. C'est parce que conscient de cet état d'esprit, qu'un gouvernement pourtant constitué par un parti traditionnel, a senti le besoin de créer un ministère provincial de la culture, et de se donner des représentants à l'étranger.

Socialisme et autodétermination

Les socialistes ont d'ailleurs toujours reconnu le droit des nations à l'autodétermination et si la Confédération devenait irrespirable pour les Canadiens-français, eh bien, la question d'un état socialiste bas-canadien pourrait être posée par l'histoire. Toutefois nous n'en sommes pas rendu là. Nous n'avons pas encore fait pleinement usage des prérogatives de notre souveraineté provinciale dans les cadres de la Confédération. Notre état provincial pourrait très bien nous rendre nos richesses naturelles, garantir à nos travailleurs le droit d'association, planifier notre économie, etc., etc..

La Confédération n'est pas immuable

Et d'ailleurs la Confédération n'est pas immuable. En 1955, le Manifeste de Joliette réclamait le rapatriement de la constitution, la création d'un Conseil de la Confédération donnant voix au chapitre aux provinces, etc.. Récemment plusieurs syndicalistes et plusieurs sociologues ont déploré publiquement les anomalies constitutionnelles à cause desquelles notre pays délègue au BIT, à l'UNESCO et ailleurs, des représentants du seul gouvernement fédéral qui n'a à peu près pas juridiction sur les sujets dont traitent ces organismes internationaux.

Nous désirons terminer cette mise au point en faisant appel à tous les éléments de notre société qui souhaitent l'avènement chez nous d'une véritable démocratie, économique, politique, sociale et nationale; nous leurs demandons d'unir leurs efforts aux nôtres afin de faire triompher cet idéal commun[3].

---

3 *La Presse*, lundi 5 juin 1961.
   Les signataires sont (par ordre alphabétique) : Jean-Marie Bédard, Gisèle Bergeron, Jean Billard, Réginald Boisvert, Robert Cédillot, Michel Chartrand, Claudette Côté, Fernand Daoust, Michel Forest, Willie Fortin, Raymond Lapointe, Jacqueline Lavoie, Roméo Mathieu, Jacques-Victor Morin, Huguette Plamondon, Jean-Pierre Richard, Gilles Rochette, Janine Théoret, André Thibaudeau.

Cet appel public est signé par plusieurs militants et responsables connus du mouvement ouvrier et socialiste. Son contenu ne manquera pas d'influencer considérablement les discussions à venir au sein du Comité provincial.

Défendant la thèse selon laquelle le Canada serait le produit d'un pacte entre deux peuples, la déclaration affirme l'existence en ce pays de deux «nations» distinctes par la culture, les traditions, les origines historiques, etc .. Il existe donc, selon les signataires, non pas une nation «canadienne» mais deux nations fondamentales au Canada; et ce fait, en lui-même, implique tout particulièrement pour la nation «canadienne-française concentrée dans la province de Québec», la reconnaissance du principe de droit à l'autodétermination jusqu'à et y compris la sécession. *C'est là, croyons-nous, que réside l'essentiel de la déclaration.* Mais examinons son contenu d'un peu plus près.

Nous avons déjà discuté de la thèse du «Canada, pacte entre deux peuples fondateurs». Indépendamment du bien-fondé ou non de cette thèse, la proclamation par des syndicalistes de l'existence de deux nations distinctes au Canada et de leurs droits respectifs à l'autodétermination constitue, en 1961, un geste politique fort important. Cette proclamation est en rupture avec l'idée dominante traditionnelle selon laquelle il existe une nation canadienne. Elle est aussi porteuse d'une remise en cause des fondements sur lesquels le Canada a été édifié en 1867 par l'intermédiaire des Actes de l'Amérique du Nord Britannique. Ces actes ne reconnaissent ni l'existence et, à plus forte raison, ni l'égalité de deux «nations» fondatrices du pays : les A.A.N.B. ne reconnaissent pas non plus, comme nous l'avons déjà montré, le droit démocratique de ces «nations» à s'autodéterminer. Et pour cette raison, même s'ils prétendent et sont convaincus que l'existence des deux nations et le droit à l'autodétermination ont été consacrés par la loi du parlement britannique, ces syndicalistes sont amenés à défendre une argumentation qui se situe objectivement en rupture avec les A.A.N.B. et les bases historiques et politiques du fédéralisme canadien. Mais les militants du Nouveau Parti au Québec ne pousseront pas la logique de leur position jusqu'à rompre eux-mêmes avec les A.A.N.B.. Ils maintiendront, à ce stade, leur accord avec un fédéralisme «rénové», convaincus que la reconnaissance des deux nations par le Nouveau Parti constituera déjà pour le Québec une importante victoire.

Le discours de Jean-Claude Lebel au Colloque d'orientation du Comité provincial du Nouveau Parti au Québec, les 17 et 18 juin 1961, illustre bien leur orientation :

> Abordant ces problèmes avec sagesse, objectivité et réalisme, sans faire appel à la démagogie électoraliste, nous pourrons peut-être faire en sorte que le Nouveau Parti, en plus d'innover en matières économiques et au niveau de sa propre constitution, apporte une efficacité nouvelle au fédéralisme canadien que des générations de politiciens arrivistes ont gravement compromis ...
>
> Le fédéralisme canadien, à la condition qu'il soit décentralisé, apparaît comme le moyen idéal pour assurer cette libre coopération, condition même de la réalisation d'aspirations supérieures dans l'ordre des valeurs humaines. Il s'agit évidemment d'un fédéralisme rénové qui repose sur une interprétation de la constitution selon laquelle la Confédération est bien plus un pacte entre deux nations qu'un pacte entre plusieurs provinces. Cette interprétation est d'ailleurs celle qui semble le plus correspondre aux aspirations de la majorité des canadiens-français à l'heure actuelle. Le Nouveau Parti parce qu'il admettra le fédéralisme décentralisé et parce qu'il sera contrôlé par le peuple, tout en assurant le bien-être et la sécurité matérielle, garantira à chacune des deux grandes nations qui composent le Canada le respect de ses droits fondamentaux[4].

Même s'il entend donner sa légitimité à la «thèse des deux nations» en disant qu'elle correspond à la nature même de l'État canadien, les militants québécois du Nouveau Parti ont du mal à convaincre les dirigeants du parti au Canada anglais. Leur thèse sera combattue durement par des hommes comme Eugene Forsey du Congrès du travail du Canada pour qui l'existence de la «nation canadienne» est un produit acquis et intrinsèque dans l'histoire du fédéralisme canadien. La théorie des deux nations, dit-il, «c'est aussi une théorie mal fondée qui pourrait nous conduire au désastre»[5].

La confrontation entre les deux options apparaît donc inévitable à plus ou moins brève échéance. Il faudra d'une manière ou d'une autre que la question soit tranchée en vue du congrès de fondation, car le parti y joue son existence même comme organisation de toutes les composantes nationales du mouvement ouvrier au Canada.

---

4 Résumé du discours d'ouverture du Colloque de Montréal du Nouveau Parti, prononcé par Jean-Claude Lebel, organisateur provincial du Nouveau Parti, le 17 juin 1961, à l'Université de Montréal. Communiqué de presse du Comité provincial du Nouveau Parti, Archives de la F.T.Q., Montréal.

5 FORSEY, Eugene, «Canada : two nations or one?» *The Canadian Journal of Economics and Political Science,* vol. XXVIII, nov. 1962, no 4, p. 487.

La «thèse» des syndicalistes québécois continue de faire
l'objet de débats au sein du Nouveau Parti au Québec et rallie
de plus en plus de partisans déterminés à la voir triompher. Des
recommandations précises à être soumises au congrès de
fondation du mois d'août seront proposées en ce sens.

B. Le colloque des 17 et 18 juin

Les 17 et 18 juin, le parti organise au Québec un colloque qui a
comme objectif de mettre au point la position de la délégation
québécoise au congrès national de fondation du parti qui aura
lieu du 31 juillet au 4 août à Ottawa. Quelques 200 personnes y
participent : dirigeants syndicaux, travailleurs syndiqués et non-
syndiqués, intellectuels, universitaires, etc ..

Les deux documents présentés aux participants du
colloque reprennent essentiellement la ligne de pensée tracée
par l'appel public du groupe de syndicalistes que nous avons
cité précédemment. Ces deux documents sont d'une part le
Mémoire sur les relations fédérales-provinciales, présenté par le
Comité provincial du Nouveau Parti, et d'autre part, la *Déclaration de la F.T.Q. sur la Confédération et les droits provinciaux*[6].

1.   LE MÉMOIRE DU COMITÉ PROVINCIAL.

L'essentiel de la position développée dans le mémoire du Comité provincial sur la question nationale est concentré dans les
premières lignes du document. On y lit :

> La Confédération canadienne doit être considérée non seulement
> comme un pacte intervenu entre des provinces mais aussi comme
> un pacte entre deux nations : la nation canadienne-française et la
> nation canadienne-anglaise. Par suite de cette interprétation de la
> Constitution, le Nouveau Parti proclame sa foi en un fédéralisme
> rénové qui, par la décentralisation des pouvoirs, constitue la
> meilleure garantie pour tous de l'exercice des libertés et qui, seul,
> permet aux Canadiens-français, dans l'État provincial où ils sont
> en majorité, d'asseoir sur de solides bases économiques leur
> indépendance culturelle.
>
> La libération économique est la condition essentielle pour que les
> Canadiens-français aient la pleine jouissance de leurs préro-
> gatives constitutionnelles. Les partis traditionnels et l'élite cana-
> dienne-française des affaires ont trahi les intérêts permanents du
> peuple canadien-français par leur alliance ouverte avec le grand
> capital. Les luttes autonomistes qu'elle a appuyées, parce
> qu'elles furent une vaste entreprise de diversion, n'ont jamais
> inquiété les maîtres de notre économie[7].

---

6   Déclaration rendue publique le 12 juin 1961; tirée des Archives du Centre de
    documentation de la F.T.Q. à Montréal.

7   Voir l'Annexe 3, p. 209.

Le document du Comité provincial contient également un certain nombre de propositions de «réforme» du fédéralisme canadien : parmi celles-ci, mentionnons l'instauration d'un Bureau fédéral-provincial de planification, une redéfinition du système de péréquation fédéral et de la participation des provinces aux programmes conjoints, un nouveau système d'impôts «progressifs», le rapatriement de la Constitution, une Cour suprême remaniée en fonction d'une représentativité des provinces, l'incorporation d'une «Déclaration des droits de l'homme» dans la Constitution, l'abolition du Sénat et son remplacement par un Conseil de la Confédération composé pour les deux tiers de conseillers élus par les citoyens à l'occasion d'élections provinciales et pour un tiers de conseillers élus à l'occasion d'élections fédérales.

2. LA DÉCLARATION DE LA F.T.Q. SUR LA CONFÉDÉRATION ET LES DROITS PROVINCIAUX.

La déclaration de la F.T.Q. reprend pour sa part l'essentiel de l'appel précédemment publié par les syndicalistes. Mais cette fois, il ne s'agit plus d'un point de vue d'individus. C'est la centrale ouvrière, en tant que telle, qui met son poids derrière la revendication de la reconnaissance des deux nations. Cette déclaration marque une date. Il convient de la citer intégralement :

> La Fédération des travailleurs du Québec, s'inspirant des principes sociaux-démocratiques, considère la nation comme une communauté stable, historiquement constituée, possédant sa langue, occupant un territoire défini, ayant une vie économique et une conformation psychologique qui lui sont propres. Ces divers éléments constituent une communauté de culture.
>
> C'est pourquoi la Fédération des travailleurs du Québec croit que le Canada est formé de deux nations : la nation canadienne-française et la nation canadienne-anglaise. L'Acte de l'Amérique britannique du nord implique le respect de leurs droits respectifs; c'est, selon notre interprétation, le résultat d'un pacte entre les deux nations qui forment le Canada.
>
> Le caractère bi-culturel du Canada et la présence concentrée de l'une des deux nations à l'intérieur d'une province expliquent l'importance considérable que la F.T.Q. accorde aux droits provinciaux; c'est parce que la négation des droits de la province de Québec équivaudrait à une violation des droits nationaux et démocratiques des Canadiens-français.
>
> Il n'y a pas lieu de s'étonner du fait qu'après un siècle de vexations sur le plan fédéral et dans d'autres provinces de la Confédération, les Canadiens-français considèrent de plus en plus l'état provincial du Québec comme la consécration juridique et l'expression politique de leur fait national.

Les sociaux-démocrates reconnaissent traditionnellement le droit des nations à l'autodétermination. C'est dire que si, par hypothèse, la Confédération devenait inhabitable pour les Canadiens-français, la question d'un état social-démocratique du Québec pourrait évidemment se poser.

Toutefois, nous n'en sommes certainement pas là et nous avons la conviction que nous n'en arriverons jamais là. Les travailleurs du Québec croient que les partis traditionnels ont saboté à la fois la Confédération et l'état provincial du Québec, ce qui explique en grande partie le malaise actuel. Selon eux, le Québec n'a pas encore fait un plein usage de ses prérogatives dans le cadre de la Confédération. Ils sont convaincus que le Nouveau Parti, parce que libéré de toutes servitudes financières étrangères et autochtones, et seul capable de répondre aux aspirations populaires, pourra, en y apportant les aménagements nécessaires, relancer la Confédération. Ils sont également convaincus que le Nouveau Parti provincial du Québec pourra revaloriser l'état provincial du Québec et lui faire donner enfin sa mesure dans les domaines relevant de sa juridiction : ressources naturelles, planification économique, éducation, santé, lois ouvrières, etc..

La Fédération des travailleurs du Québec désire lancer un appel à tous les éléments sains de notre société afin qu'ils participent à l'avènement, chez nous, d'une véritable démocratie économique, politique, sociale et nationale. Elle croit que c'est à l'intérieur du Nouveau Parti qu'on peut faire triompher cet idéal commun.

Montréal, ce 12 juin 1961.

3.   LES CONCLUSIONS DU COLLOQUE.

Les idées essentielles contenues dans les trois documents cités se résument en quelques points : l'affirmation de l'existence de deux nations au Canada, la reconnaissance du droit à l'autodétermination, ainsi que la proposition d'un fédéralisme «rénové» et décentralisé.

Elles sont présentées au colloque qui, après les avoir débattues, formule un certain nombre de recommandations qui seront présentées au congrès de fondation du Nouveau Parti. Tout d'abord, les participants se prononcent à une très forte majorité pour que, partout où il est employé, le mot «national» soit changé pour le mot «fédéral» dans les statuts du parti[8]. Le colloque se prononce aussi pour que le texte suivant soit présenté comme Article 1 au préambule de la constitution du Parti :

---

8 Proposition acheminée en plénière par un atelier et inscrite dans le *Rapport de la Commission no 2, le Parti provincial et la Constitution fédérale;* tiré des documents d'archives sur le N.P.D. au centre de documentation de la F.T.Q. à Montréal.

Jean-Marie Bédard, un des promoteurs du droit
à l'autodétermination du Québec dans le N.P.D.

Jean-Claude Lebel,
organisateur provincial
du Nouveau Parti.

> Le Nouveau Parti proclame sa foi dans le fédéralisme qu'il considère comme le seul système capable d'assurer l'épanouissement dans un État bi-national, de deux nations qui constituent le Canada, et leur pleine égalité en droit.

La veille, en atelier, Jean-Marie Bédard, représentant de l'Union internationale des travailleurs du bois d'Amérique, a proposé d'inscrire également dans le projet de constitution du parti, le droit à l'autodétermination et à la sécession pour le Québec. Mais il devait par la suite retirer sa proposition, se ralliant aux dirigeants du Comité provincial, pour admettre que la reconnaissance du fait national canadien-français incluait formellement le droit à l'autodétermination[9]. Par ailleurs, certains participants, au cours de ce débat, auraient demandé le retrait de cette proposition, craignant qu'une telle affirmation de principe sur l'autodétermination soit rejetée par les délégués au congrès de fondation[10].

Il est néanmoins clair et entendu, parmi les participants, que l'interprétation qu'on donnerait à la reconnaissance du principe des deux nations par le parti serait celle d'une reconnaissance *ipso facto* du droit à l'autodétermination pour le Québec. Les dirigeants canadiens-anglais du Nouveau Parti allaient-ils partager cette interprétation?

Notons pour le moment que si la revendication du droit à l'autodétermination n'est pas formulée explicitement par les Québécois, elle fait quand même l'unanimité dans leurs rangs, ce qui est loin d'être le cas chez les dirigeants canadiens-anglais. Commentant les résultats du Colloque d'orientation du Nouveau Parti au Québec, le *Globe and Mail* du premier juillet se fait l'écho de l'opposition à cette revendication. La journaliste Dominique Clift écrit :

> Le premier ministre T.C. Douglas, Hazen Hargue, Stanley Knowles, Claude Jodoin et les autres participants au congrès de fondation du Nouveau Parti à Ottawa cet été seront sollicités pour accepter quelque chose qu'aucun politicien fédéral n'a jamais pris au sérieux! Le droit du Québec de se séparer de la Confédération[11].

Celle-ci savait bien apprécier l'incompatibilité entre la reconnaissance du droit à l'autodétermination et la défense de l'intégrité de l'État canadien inséparable de sa structure constitutive, le fédéralisme.

---

9   *Ibid*, p. 1.

10 *The Gazette,* 19 juin 1961, «French Canada and the New Party, Right to self Determination».

11 «Transfer of Nationalism affects New Party», Dominique Clift, *Globe and Mail,* 1er juillet 1961. La traduction est de nous.

Chapitre 9
LES PRÉPARATIFS DE DERNIÈRE HEURE

LES événements survenus en juin 1961 au sein du Nouveau Parti au Québec témoignent d'une modification des positions au sein du Comité provincial vis-à-vis du projet de programme et de statuts soumis par la direction canadienne en vue du congrès de fondation. Des rapports de presse font écho au fait que certains éléments du parti considèrent les documents soumis comme «imprécis et assez vagues relativement aux droits des Canadiens-français»[1] et qu'ils entendent y apporter des amendements.

Il s'agit d'une question vitale pour l'avenir du Nouveau Parti. Pour en témoigner, nous citerons simplement une lettre écrite par Harry Hope, représentant du Comité provincial, et envoyée en date du 22 juin 1961 aux principaux dirigeants du Comité national du Nouveau Parti[2] :

> Je voudrais vous souligner de la manière la plus ferme possible qu'une compréhension exacte de cet enjeu bi-national par les Canadiens-anglais est vitale pour le succès du Nouveau Parti au Québec. Nous ne sommes pas anti-fédéralistes et nous n'essayons pas non plus de détruire l'État canadien. Nous ne sommes assûrement pas sécessionnistes; nous ne favorisons pas l'établissement d'une République Laurentienne. *Toutefois, au cours des deux ou trois dernières années, un mécontentement considérable s'est développé au Québec vis-à-vis le fonctionnement actuel de la Confédération.* Les leaders intellectuels du Canada français, ceux qui façonnent l'opinion, *supporteront le Nouveau Parti seulement si celui-ci fait clairement preuve de son respect le plus entier envers le système fédéral* et exprime cette adhésion de la façon la plus nette possible. Dans leur façon de voir les choses, la reconnaissance du caractère bi-national du Canada permettra une plus grande unité canadienne, rien de

---

1 «Le Nouveau Parti reconnaîtra-t-il au Québec le droit à l'autodétermination», F. Bourret, *Le Devoir*, 31 juillet 1961.

2 Lettre envoyée à T.C. Douglas, David Lewis, Stanley Knowles, Carl Hamilton, Andrew Brewin, Donald MacDonald, Thérèse Casgrain et Michel Forest. Lettre tirée des Archives du N.P.D. — Archives publiques du Canada, Ottawa. La traduction et l'italique sont de nous.

moins. Si la majorité canadienne-anglaise au congrès de fondation accepte au point de départ l'affirmation surprenante selon laquelle le Canada est un État bi-national, alors le Nouveau Parti aura une chance de succès au Québec. Cependant, si la majorité canadienne-anglaise au congrès de fondation rejette la résolution dont j'ai fait part, alors dans ce cas, je peux vous assurer que le Nouveau Parti ne connaîtra jamais de départ au Québec.

C'est pour cette raison que je vous incite à lire avec le plus d'attention possible les documents qui vous seront bientôt envoyés par le Comité provincial du Nouveau Parti au Québec.

La lettre d'Harry Hope est très significative. Se portant à la défense du fédéralisme, celui-ci présente comme compatible la reconnaissance des deux nations et la préservation du cadre fédéral de 1867. Il se place ainsi sur le même terrain que la direction canadienne-anglaise du N.P.D. : défense de l'État fédéral. Mais son auteur prévient : le Nouveau Parti, tout en étant fédéraliste, ne pourra prendre son envol au Québec que si le parti proclame sa conception du Canada comme État binational; dans l'autre hypothèse, le Nouveau Parti est mort-né.

A. Les résolutions présentées au congrès de fondation par le Comité du Nouveau Parti de la province de Québec

Les résolutions soumises au Comité national du Nouveau parti par le Comité du Québec dans les semaines qui précèdent le congrès de fondation sont le résultat de la volonté exprimée lors du colloque d'orientation. Bien qu'il ne soit pas nécessaire de reproduire ici l'ensemble de ces résolutions, il nous apparaît essentiel de retenir le contenu des plus importantes parmi celles qui ont trait à la question nationale. Les résolutions 669, 670, 671 et 673 apparaissent comme les résolutions clés; nous les reproduisons ici intégralement.

Résolution no 669

Attendu que selon l'esprit de la Confédération le Canada est un pays bi-national.

Qu'il soit résolu d'utiliser dans tous les documents officiels du Nouveau Parti le terme «fédéral» ou «canadien» au lieu de «national» et le terme «confédération», «pays» ou «Canada» au lieu de «nation».

Résolution no 670

Qu'il soit résolu que le paragraphe I de l'Article VI du projet de constitution soit amendé comme suit :

«Le Congrès fédéral élit un Bureau fédéral composé des membres suivants :

a) Un leader
b) Un président
c) Un co-président
d) Cinq vice-présidents
e) Un secrétaire et un secrétaire associé, l'un étant de langue française et l'autre de langue anglaise
f) Un trésorier».

Résolution no 671

Qu'il soit résolu que la première phrase du deuxième paragraphe à la page 26 du projet de programme soit remplacée par le texte suivant :

«Le Nouveau Parti proclame formellement sa foi en un fédéralisme rénové, qu'il considère comme le seul système capable d'assurer l'épanouissement dans un État bi-national, des deux nations qui constituent le Canada, leur pleine égalité en droit, l'autonomie des provinces telle que définie par la constitution, en même temps que le développement vigoureux et équilibré de tout le Canada» et

Qu'il soit de plus résolu que la troisième phrase du deuxième paragraphe à la page 26 du projet de programme soit remplacée par le texte suivant :

«Il cherchera par conséquent à établir une collaboration étroite entre les gouvernements responsables, de façon à coordonner l'élaboration, l'exécution des plans, le travail des services administratifs, et à déterminer des normes qui soient observées dans tout le pays compte tenu du respect dû à l'autonomie législative et administrative des provinces».

Résolution no 673

Qu'il soit résolu que le titre et le premier paragraphe de la page 27 du projet de programme soient remplacés par :

«Le Canada en tant qu'État bi-national
Deux nations, deux grandes cultures et deux langues ont principalement contribué à l'évolution du Canada. Son unité en tant que patrie repose sur la reconnaissance et le respect intégral de chacune de ces réalités» et

Qu'il soit de plus résolu que le cinquième paragraphe à la page 27 soit remplacé par le texte suivant :

«pour donner un sens à la Confédération canadienne, le Nouveau Parti lui donnera un drapeau et un hymne distinctifs»[3].

B. Les autres contributions du Québec

Ces résolutions reposent toutes sur la thèse selon laquelle l'État fédéral est un État bi-national. Les autres résolutions du Comité provincial traitent d'autres questions particulières telles que les

---

3 Résolutions tirées des Archives de la F.T.Q. sur le N.P.D. au Centre de Documentation de la F.T.Q. à Montréal.

programmes conjoints ou l'instauration d'un Conseil de la Confédération.

Plusieurs clubs du Nouveau Parti au Québec présentent également des résolutions semblables à celles du Comité provincial afin de faire prévaloir le caractère bi-national du Canada[4]. Parmi celles-ci, la résolution 622 reflète bien l'orientation des délégués du Québec à la veille du congrès de fondation. Voici le texte de cette résolution.

Résolution no 622
(Soumise par le club ALPHA du Nouveau Parti)

Attendu qu'il s'accroît parmi les canadiens-français un sentiment en faveur de la sécession et de l'indépendance politique du Québec;

Attendu que de nombreux canadiens-français se considèrent comme une race distincte, plutôt qu'une simple province;

Attendu que l'autonomie d'un peuple est un droit universellement reconnu et appuyé à l'heure actuelle;

Attendu que de nombreux canadiens-français subissent des inégalités de diverses sortes;

Attendu que depuis des années qu'il existe, le parti social-démocratique a failli de prendre pied dans la province de Québec et n'a donc pas atteint le statut d'un parti politique véritablement représentatif de toutes les régions du pays;

Attendu qu'une cause majeure de la faillite du P.S.D. a été le manque d'une appréciation et d'une compréhension profonde des Canadiens-français;

Attendu que les Canadiens-français ont été partisans de l'autonomie mais estimaient que le P.S.D. s'y opposait et qu'il préconisait la centralisation; et

Attendu que le problème de la nationalité et de l'autonomie du peuple canadien-français est si profond et d'une importance si critique qu'il peut avoir des conséquences incalculables sur la réussite ou la faillite du Nouveau Parti à l'avenir;

Qu'il soit résolu :

1) Que la convention fondatrice du Nouveau Parti discute du problème des rapports entre le Canada français et le Canada anglais;

2) Qu'un comité soit établi au cours de la convention fondatrice pour discuter à fond de la question nationale;

3) Que le Nouveau Parti établisse une commission permanente dans le but de trouver une véritable solution équitable à la question nationale; et

4) Que des mesures définies soient prises pour éliminer le sentiment d'infériorité et d'inégalité qu'éprouvent les Canadiens-français.

---

4   Il s'agit particulièrement des clubs Jean-Jaurès, Alpha et de celui des Journalistes de l'Écran.

C. La position du Comité national

Conformément aux précisions indiquées dans le projet de statuts du Nouveau Parti, toutes les résolutions présentées au congrès de fondation devaient être parvenues au Comité national avant le 16 juin 1961. Sinon elles perdaient leur caractère officiel, ne figuraient pas au cahier des résolutions et n'étaient pas retenues par les sous-comités du programme et des statuts. Étant donné la date du colloque d'orientation, le Comité provincial du Nouveau Parti n'était donc pas en mesure de respecter l'échéance prévue. Ses résolutions ne parviennent en effet au Comité national que dans les premiers jours de juillet, soit environ deux semaines avant le début du congrès de fondation. Mais si ce retard enfreint la règle du congrès, le Comité national ne peut pas ignorer qu'elles viennent du Québec. Pour l'étude des résolutions présentées au congrès, le Comité national s'est doté de deux sous-comités, l'un sur le programme et l'autre sur les statuts. Le comité des statuts est composé de Donald Mac-Donald (secrétaire-trésorier du C.T.C. et président du comité), Ken Bryden, Carl Hamilton et Terence Grier[5]. Celui du programme est pour sa part composé de Michael Oliver (dirigeant du C.C.F. et président du comité), Frank MacKenzie, Walter Kontak et John Whitehouse[6]. Il est important de constater qu'il n'y a aucun représentant québécois francophone sur ces comités.

1. LES RÉSOLUTIONS SUR LES STATUTS.

C'est à sa réunion du 6 juillet que le comité des statuts est saisi des propositions du Québec.

À cette réunion, une seule proposition émanant du Québec est examinée et il s'agit de la résolution no 670 demandant qu'il y ait un «président et un co-président», «un secrétaire et un secrétaire associé l'un étant de langue française et l'autre de langue anglaise». En ce qui concerne le poste de secrétaire, le comité des statuts estime que cette proposition doit être rejetée par le Comité national du Nouveau Parti. Mais il se dit d'avis que les alinéas c et d du point I de l'article VI doivent être amendés par le texte suivant : «un président national, un président national associé, l'un étant de langue anglaise et l'autre de langue française»[7]. Cette position est entérinée par le Comité national à sa réunion du 11 juillet 1961.

5 *Sous-comité de la Constitution 1959-61,* Archives du N.P.D., Archives publiques, Ottawa.

6 *Procès-verbal du C.N.N.P.,* Archives du N.P.D., Archives publiques du Canada, Ottawa.

7 *Sous-comité de la constitution 1959-61,* Archives Publiques du Canada, Ottawa.

Quant à la résolution no 669 réclamant que les termes «national et nation» disparaissent des documents officiels du Nouveau Parti, *elle ne sera pas retenue par le comité*. Mais dans les jours précédant le congrès de fondation, les dirigeants du Nouveau Parti vont finalement accepter, sous la pression des Québécois, d'intégrer ces modifications dans le projet de programme mais se refusent encore à les intégrer dans le projet de statuts du parti. Ils s'y plieront enfin à l'ouverture du congrès.

2.   LES RÉSOLUTIONS SUR LE PROGRAMME.

Les résolutions soumises par le Québec sur le projet de programme ne sont pas vraiment débattues par le Comité national du Nouveau Parti avant le congrès.

À la réunion du Comité national du 11 juillet 1961, une délégation du Comité du Nouveau Parti du Québec est venue présenter sa position et ses revendications au sujet du programme[8]. Comme en ce qui concerne les statuts, les Québécois réclament que la reconnaissance du caractère bi-national de l'État fédéral figure au programme du parti. Sans prendre de décision à ce moment précis, les membres du Comité national conviennent alors de former un sous-comité chargé de rencontrer les représentants du Québec et d'acheminer au comité du programme les résolutions appropriées soumises par le Québec. Ce comité spécial est constitué de Michael Oliver, Frank Scott, Ken Bryden, Donald McDonald et Walter Pittman[9].

Il n'y a qu'une seule rencontre entre les deux parties, soit le 13 juillet. Et c'est à cette occasion que les résolutions programmatiques du Québec sont déposées officiellement. Elles sont remises au comité du programme dans les jours suivants et finalement communiquées au Comité national à sa réunion des 29 et 30 juillet. Le débat y est «orageux» et l'opposition manifestée au sein du Comité national face aux résolutions du Québec très vive[10]. Le premier août 1961, le journal *La Presse* résume la situation en ces termes :

> Des discussions ont lieu régulièrement depuis quelques mois entre les dirigeants du P.S.D., du C.T.C. et l'élément québécois sur les questions nationalistes. Les dirigeants anglophones du parti réclament sans doute de la pondération de la part des québécois, afin que le congrès ne donne pas l'exemple d'une division nationale. Mais les délégués n'ont pas dit leur dernier mot et ils préféreront peut-être mettre cartes sur table au congrès même dans l'espoir que les simples délégués accepteront leurs idées sans faire d'histoires.

---

8 *Procès-verbal du C.N.N.P.*, 11 juillet 1961, Archives du N.P.D., Archives Publiques du Canada, Ottawa.

9 *Ibid.*

10 SHERWOOD, David, *op. cit.*, p. 58.

Chapitre 10
LE CONGRÈS DE FONDATION

L' AFFIRMATION par les Québécois de leurs aspirations nationales ne suscite pas l'adhésion des dirigeants du Comité national du Nouveau Parti. Ils font le
maximum pour empêcher que le parti, dans ses statuts et son
programme, reconnaisse l'existence d'une nation québécoise
distincte. Mais au congrès même, la délégation québécoise
pouvait-elle obtenir d'autres gains en faveur de ses positions?

A. Une présence importante

Le congrès s'ouvre le 31 juillet. Sur le simple plan du nombre, la
présence des Québécois y est relativement forte. Leur délégation officielle est composée de 167 délégués (sur un total de
1 659), chiffre qui n'inclut pas les délégués fraternels et les
observateurs québécois[1]. La délégation du Québec est aussi
nombreuse que celle de la Colombie-Britannique. Celle de
l'Ontario vient loin en tête avec 707 délégués; la Saskatchewan
en compte 293. Parmi les délégués du Québec, 56 proviennent
des syndicats, 57 du P.S.D. et 54 des clubs du Nouveau Parti.

> Il n'est pas exagéré de dire que les quelques 190 délégués du
> Québec ont abordé le congrès de fondation avec une mission à
> accomplir. Comme groupe qui se faisait entendre, cohésif et zélé,
> leur mission consistait à obtenir la pleine reconnaissance du fait
> canadien-français dans le Nouveau Parti. Les syndicalistes et les
> anciens membres du P.S.D. qui avaient mis sur pied la délégation,
> tenaient surtout, et d'un seul coup si possible, à rompre avec
> l'héritage que représentait le C.C.F. au Québec. Tout ce qui
> importait, c'était de faire en sorte que le Nouveau Parti croit au
> Canada français et adopte les formules appropriées[2].

Cette détermination des Québécois est ressentie par tout le
congrès, de même que l'importance décisive de la question
nationale dans les délibérations. Selon le sort qui sera réservé à
la question du Québec, tous perçoivent que le congrès sera une
réussite ou un échec. Obligée elle-même de le constater, la
direction du parti a dû faire des concessions dont il faudra
ensuite évaluer la portée.

---

1   HOROWITZ, Gad, *op. cit.*, p. 226.
2   SHERWOOD, D., *op. cit.*, pp. 64-65.

Le discours d'ouverture de David Lewis reflète la «nouvelle» attitude des dirigeants:

> En érigeant l'édifice, en élaborant le programme du Nouveau Parti, nous devons nous rappeler constamment que notre pays est né de l'union de deux grandes nations et que l'une doit avoir, à l'égal de l'autre, l'occasion de diffuser et d'enrichir la culture qui lui est propre, d'employer sa langue et de sauvegarder les principes de son organisation sociale et religieuse...
>
> En d'autres termes, nous devons constituer non seulement un parti politique fédéral qui ait de la taille et de l'influence, mais aussi dix partis entièrement autonomes et indépendants dans le domaine de leur compétence provinciale. Nous devons proclamer au départ notre ferme intention de respecter le principe du pacte fédératif et de mettre à la portée des provinces, ainsi que des autorités fédérales, les moyens qui leur permettront de s'acquitter de leurs obligations sans être à la merci les unes des autres et sans avoir à se quémander des faveurs les unes aux autres[3].

B. L'intervention de la délégation du Québec

Tel que prévu pourtant, le projet de statuts présenté au congrès par le Comité national n'a subi aucune modification. Il emploie partout les termes «national» et «nation».

Au cours de la première journée du congrès, le lundi 31 juillet, les délégués du Québec tentent en vain de faire amender le texte. Le Comité refuse carrément d'acquiescer à leurs demandes[4]. Les délégués du Québec décident alors de se réunir le soir même en «caucus».

Plus de 150 délégués participent à ce caucus tenu à huis clos; l'objectif de la réunion est d'élaborer la stratégie de la délégation afin de faire amender par le congrès le projet de statuts du parti. Plusieurs militants insistent pour que les positions du Québec soient maintenues intégralement et défendues jusqu'au bout. Ils entendent «poser carrément la question nationale» devant le congrès et mesurer ainsi la réaction des autres délégués face à leurs revendications : «ce parti est différent des vieux partis, disent-ils, et il doit l'être jusque dans son acceptation des désirs légitimes du Canada français»[5]. Le journal *La Presse* écrit :

---

3 Discours de David Lewis, président national du C.C.F. au 1er congrès du N.P.D., le 31 juillet 1961.

4 *La Presse*, 2 août 1961.

5 «Caucus de plus de quatre heures au congrès du Nouveau Parti : les délégués du Québec déterminés à poser la question nationale», *La Presse*, mardi, 1er août 1961.

> L'autonomisme des délégués du Québec au congrès du Nouveau
> Parti n'en est donc pas un qui soit «traditionnaliste» ...
> Les délégués du Québec sont convaincus que seul le Nouveau
> Parti conduira à un véritable épanouissement de la nation
> canadienne-française. Mais pour cela, il faut qu'ils parviennent à
> faire partager certaines de leurs opinions par le reste du parti.

Mais au cours de la réunion, la majorité des délégués s'accor-
dent pour modifier certaines résolutions soumises afin d'en
atténuer la formulation sans en modifier le sens[6]. En particulier,
ils décident de présenter, pour la plénière du lendemain matin,
un nouvel amendement au projet de statuts dont voici le texte :

> *Considérant* que les Canadiens d'origine française constituent
> une nation distincte et que de leur point de vue le terme «national»
> ne peut s'appliquer à l'ensemble de la population canadienne ni à
> un parti ou un organisme aspirant à représenter l'ensemble de
> cette population;
> *Considérant* que le terme «national» appliqué au Nouveau Parti
> apparaîtrait à bon droit à l'immense majorité des Canadiens-
> français comme l'expression d'une mentalité incompréhensive,
> sinon assimilatrice à l'endroit de la nation canadienne-française;
> *Considérant* que dans ces conditions, l'immense majorité des
> Canadiens-français rejetteraient violemment un Nouveau Parti dit
> «national» comme en font foi les déclarations récentes du colloque
> du Nouveau Parti à Montréal et de la Fédération du travail du
> Québec, ainsi que la récente résolution adoptée par le Comité
> provincial du Nouveau Parti;
> Nous, soussignés, délégués au congrès de fondation du Nouveau
> Parti, réclamons que les termes «pays» ou «Canada» soient substi-
> tués au terme «nation» et les termes «fédéral» ou «canadien» au
> terme «national» partout où, dans le projet de constitution du
> Nouveau Parti, ces termes s'appliquent soit au parti lui-même, soit
> aux conseils, comités ou congrès du parti[7].

1.   L'ULTIMATUM DE LA DÉLÉGATION DU QUÉBEC.

Le mardi matin, 1er août, les délégués du Québec prennent
l'offensive. Au début de la plénière, ils obtiennent l'assentiment
de la majorité des délégués pour faire reconsidérer le rapport du
comité des statuts afin, disent-ils, que le Nouveau Parti reconnaisse que les Canadiens-français constituent une nation distincte. C'est Michel Chartrand, leader du P.S.D., qui se fait le
porte-parole de la délégation. Dans sa présentation de l'amendement, M. Chartrand soutient que les Canadiens-français,

---

6   *Ibid.*

7   «Vigoureuse intervention de Michel Chartrand : Le Canada français revendique tous ses droits dans le Nouveau Parti», *Le Devoir*, 2 août 1961.

Michel Chartrand, dirigeant du P.S.D., et un des porte-parole de la délégation québécoise au congrès de fondation.

formant une nation distincte, considèrent *incomplet, inacceptable* et *assimilateur* l'adjectif «national» appliqué au Nouveau Parti :

> La nation canadienne-française, déclare-t-il, est fatiguée de se faire traduire la politique à partir de l'anglais : elle veut maintenant construire la politique sur un pied d'égalité avec ses compatriotes de langue anglaise. Les Canadiens-français constituent une nation en soi. Le phénomène dure depuis 300 ans et n'est pas prêt de s'achever[8].

La présentation de cet amendement par la délégation du Québec est suivie d'une série d'interventions dont certaines méritent d'être soulignées. Hazen Hargue, député C.C.F. à la Chambre des communes et candidat à la direction du Nouveau Parti, donne son appui à la résolution du Québec. Il s'agit là, dit-il, d'une des questions les plus importantes que le congrès a à débattre :

> Depuis plusieurs décennies, les Canadiens-français luttent en vain pour la reconnaissance de leurs droits, ce qu'aucun des vieux partis ne leur a accordé. La meilleure chose que nous puissions faire maintenant est de voter en faveur de cette motion dont dépendra l'avenir du Nouveau Parti.
>
> *L'histoire et les succès du Nouveau Parti seront déterminés par la compréhension que nous aurons des problèmes du Québec.* Les Canadiens-français ne demandent pas de traitement de faveur mais ils veulent être traités sur un pied d'égalité. Ils constituent une nation différente des Canadiens d'origine anglaise, ils ont leur langue propre, leurs traditions, leur histoire, leur culture. Le mieux à faire pour réaliser l'unité canadienne, conclut-il, c'est de supporter unanimement la résolution québécoise[9].

Le président de la Fédération des producteurs de lait de la province de Québec intervient dans le même sens. La question déterminante à établir, explique-t-il, est celle de savoir si les Canadiens-français auront leur place dans le Nouveau Parti : «Si, nous du Québec, nous avons l'impression d'être négligés et 'roulés', il vaudra mieux ne pas présenter de candidat du Nouveau Parti dans le Québec»[10].

Mais l'opposition aux revendications du Québec continue de s'exprimer vivement au niveau de la direction du parti. Le syndicaliste Eugene Forsey, directeur de la recherche au

---

8 «Nouveau Parti, ultimatum de la délégation du Québec», Jean Charpentier, *La Presse*, 1er août 1961.

9 *La Presse*, 2 août 1961.

10 «Le Canada français revendique tous ses droits dans le Nouveau Parti», *Le Devoir*, 2 août 1961.

Congrès du travail du Canada[11], dirige l'attaque contre l'amendement des Québécois qu'il qualifie d'absurde et de ridicule. Cet amendement, proclame-t-il, aurait pour effet de détruire la nation canadienne :

> Si une telle motion était acceptée, il ne nous resterait plus qu'à renoncer à la nationalité canadienne, voire mieux à nous retirer des Nations-Unies, puisque nous serions convaincus que nous sommes désunis ... Le Canada est composé de deux groupes ethniques mais non de deux nations. Cette querelle de mots, dit-il, est puérile et je voterai contre le retrait du mot «nation»[12].

Une déléguée canadienne-anglaise d'Alberta lui répond : «les Canadiens de langue anglaise sont parfaitement sensibles au bien-fondé de l'amendement réclamé par le Québec, amendement qui met en jeu non seulement le vote de cette province mais qui touche à l'essence même de notre pays»[13].

Comme l'espéraient les délégués du Québec, le fait que les délégués eux-mêmes, dans le cadre d'un débat général, se saisissent de la question, modifie le rapport de forces face à la direction. Le comité des statuts effectue un premier recul tactique. Son secrétaire, Ken Bryden, propose que l'amendement Chartrand soit de nouveau soumis à l'étude de son comité. La proposition est entérinée majoritairement par le congrès. Fernand Bourret, du journal *Le Devoir*, écrit :

> Nul ne sait encore le sort que le comité réserve à la résolution du Québec. Il semble cependant que la direction du Nouveau Parti ainsi que le comité de la Constitution devront faire des concessions aux délégués du Québec, ne serait-ce que pour empêcher les autres partis de s'emparer de la question et de clamer sur tous les toits que le Nouveau Parti ne veut pas faire de place à la nation canadienne-française[14].

Le comité des statuts ne saurait désormais se représenter devant les délégués en réitérant simplement sa position antérieure. Les risques d'éclatement sont trop grands. Mais jusqu'où ira-t-il?

Le jeudi 3 août, il présente aux délégués un rapport qui modifie radicalement sa position. Les revendications du Québec semblent satisfaites. Il est recommandé par le comité :

---

11 Aujourd'hui sénateur à Ottawa.

12 «Le Nouveau Parti, ultimatum de la délégation du Québec», *La Presse*, 3 août 1961.

13 *Ibid*.

14 BOURRET, Fernand, «Le Canada français revendique tous ses droits dans le Nouveau Parti», *Le Devoir*, 2 août 1961.

A) Que le mot «national» et l'expression «parti national» soient omis.

B) Que le mot «national» dans l'expression «parti national» soit omis ou qu'on y substitue le mot «fédéral» selon le contexte.

C) Que le mot «national» dans l'expression «conseil national» ou «exécutif national» soit omis ou qu'on substitue à cette expression la suivante : «conseil (ou exécutif) du parti fédéral» selon le contexte.

D) Que le mot «national» dans l'expression «bureau national» ou dans toute expression désignant un officier du parti soit omis.

E) Que l'expression «section de la jeunesse» soit substituée à l'expression «section de la jeunesse nationale».

Recommandations additionnelles

1) Que tous les articles de la constitution qui n'ont pas encore été approuvés par le congrès, soient rédigés de nouveau selon les principes énoncés ci-dessus et présentés au congrès selon leur nouveau libellé (y compris les autres modifications que le comité pourra juger bon de proposer)

2) Que le conseil du parti fédéral soit autorisé à publier tous les articles qui ont été adoptés par le congrès (y compris l'article IV) corrigés selon les principes ci-dessus[15].

En s'appuyant sur la masse des délégués, les représentants du Québec ont donc remporté des gains substanciels; le comité des statuts et la direction du parti ont dû céder. Le journaliste Guy Lamarche écrit :

Ce fut un des bons moments du congrès. Une intervention de Michel Chartrand imposa tout de suite le respect de la thèse québécoise. Même ceux qui ne la partageaient pas durent en être impressionnés et ne s'y opposèrent pas ouvertement. On sait aujourd'hui, pour en connaître le résultat, que cette minute précise a été un point tournant pour les Canadiens-français du Nouveau Parti. L'aile québécoise a probablement pris par surprise un bon nombre de réfractaires ...

Les Canadiens-français auront laissé leur empreinte sur ce congrès où ils viennent de se donner un texte constitutionnel qui leur convient parfaitement[16].

À ces victoires s'ajoutent de nouvelles propositions de la direction sur le programme et les élections à la vice-présidence du parti, qui paraissent constituer d'autres gains pour les Québécois.

---

15 BOURRET, F., «Le Nouveau Parti reconnaît le caractère bi-national du Canada», *Le Devoir*, 4 août 1961.

16 LAMARCHE, G., «Histoire en deux étapes pour l'aile québécoise. L'arme de la victoire : la masse des délégués», *La Presse*, jeudi 3 août 1961.

2. LE PROGRAMME ET LA VICE-PRÉSIDENCE.

Le mercredi, 2 août, les délégués du Québec ont déjà réussi, avant le rapport final sur les statuts à faire adopter leur point de vue par le comité du programme et à lui faire endosser les amendements qu'ils proposent au chapitre du fédéralisme. Il s'agit d'amendements relatifs à la définition des relations fédérales-provinciales, à la reconnaissance du caractère bi-ethnique et bi-national du pays et aux droits des provinces de refuser de participer à des plans conjoints fédéral-provincial. Ces amendements sont présentés sous forme d'un texte modifiant les paragraphes 2, 3 et 4 du chapitre intitulé «Le fédéralisme coopératif» à l'intérieur de la section III du programme. En voici le libellé :

> Le Nouveau Parti proclame formellement sa foi dans un régime fédéral, le seul qui puisse assurer l'épanouissement conjoint des deux nations qui se sont associées primitivement en vue de former la société canadienne, ainsi que l'épanouissement des autres groupes ethniques au Canada.
>
> La constitution du Canada garantit en particulier le maintien de l'identité nationale des Canadiens-français et l'expansion de leur culture.
>
> Le Nouveau Parti maintiendra et respectera entièrement ces garanties. Le fédéralisme canadien doit assurer la protection des droits culturels, religieux et autres droits démocratiques, permettre une expansion vigoureuse et équilibrée du pays en général et assurer l'autonomie provinciale. Le Nouveau Parti croit que la planification sociale et économique doit être le résultat d'une action concertée à tous les échelons de gouvernement. Il compte donc sur une étroite collaboration entre les gouvernements responsables afin de coordonner les plans et l'administration et afin aussi d'établir des normes canadiennes minimums.
>
> Pour que le fédéralisme soit une réalité aussi bien qu'un principe juridique, chaque gouvernement doit contrôler des fonds suffisants pour lui permettre de s'acquitter de ses responsabilités d'ordre constitutionnel. Une des fonctions fondamentales du gouvernement fédéral est certes de répartir les richesses et le revenu en collaboration avec les provinces, afin que celles-ci aient à leur disposition des moyens comparables de s'acquitter de leurs obligations constitutionnelles.
>
> Le Nouveau Parti croit qu'en régime fédéral les subventions de péréquation sont la meilleure façon d'atteindre cet objectif. On doit donc avoir recours plus fréquemment à des subventions sans condition de cette nature et ces subventions devraient éventuellement remplacer les subventions conditionnelles.
>
> Le Nouveau Parti cherchera donc constamment à obtenir la participation conjointe du gouvernement fédéral et des provinces en

vue de financer des programmes visant au bien-être général des Canadiens, mais il verra à ce que cette participation soit le résultat de négociations et de consultations libres entre les gouvernements et non le produit d'une décision unilatérale.

Il croit en outre que toute province devrait être libre de rester à l'écart de ces programmes conjoints, mais que, ce faisant, elle ne retardera pas la mise en œuvre des plans des autres provinces et du gouvernement fédéral. Cependant dans tous les domaines touchant l'éducation, la langue et autres droits semblables prévus dans l'Acte de l'Amérique du Nord Britannique, toute province qui ne participera pas à un programme conjoint ne renoncera pas à son droit à une part équivalente de fonds[17].

Si on le compare à la résolution originale (no 671) soumise par la délégation du Québec, ce texte va beaucoup moins loin dans la reconnaissance d'une nation québécoise distincte et de sa pleine égalité en droit avec les Canadiens-anglais. Cette dernière affirmation a été biffée dans le nouveau texte présenté aux délégués de même que tout ce qui pourrait accréditer l'idée selon laquelle le Canada est un «État bi-national». Le régime fédéral est seul à pouvoir assurer l'épanouissement des deux nations qui se sont associées à l'origine, déclare la résolution. Mais pour faire contrepoids à ce qui pourrait s'interpréter comme une reconnaissance pleine et entière des droits nationaux au Québec, la direction fait adopter par le congrès un texte qui définit le Canada comme une nation de caractère bi-culturel.

Cependant, si c'est à juste titre que les Canadiens sont fiers *du Canada en tant que nation*, cela ne doit pas nous faire oublier que la vie canadienne repose sur une *dualité de culture nationale*. Nous sommes également conscients du fait que les Canadiens d'origine française font un usage fréquent et légitime du mot «nation» pour désigner le Canada français. Le Nouveau Parti démocratique croit devoir fonder l'unité canadienne sur la reconnaissance et le respect du *caractère bi-culturel du Canada*. (L'italique est de nous).

Ainsi la reconnaissance de la nation québécoise est niée et son caractère distinct réduit à celui d'une spécificité culturelle. Il est indéniable que la direction du parti a dû reculer devant l'opposition soulevée par sa position initiale. Mais on constate qu'à travers certaines révisions des textes, elle est parvenue à préserver l'essentiel de son orientation fédéraliste.

---

17 BOURRET, F., «Le Nouveau Parti s'engage à maintenir et à respecter les garanties constitutionnelles. Le Québec : un fédéralisme qui saura protéger l'autonomie», *Le Devoir*, 3 août 1961.

Mais, pour les délégués du Québec, le fait, par exemple, d'avoir forcé la direction à abandonner l'adjectif «national» pour désigner les instances centrales du parti constitue une victoire importante et prometteuse.

Aux élections à l'exécutif, plusieurs militants du Québec voteront pour Hazen Hargue comme candidat au poste de leader du parti à cause de l'appui important qu'il leur a donné. Sa candidature sera appuyée officiellement par Michel Chartrand. Mais c'est T.C. Douglas, le prestigieux candidat appuyé par la direction, qui allait néanmoins remporter une victoire très majoritaire à ce poste avec 1 391 voix contre 380 pour son concurrent.

D'autre part, deux co-présidents de langue française et de langue anglaise sont élus à la presque unanimité : il s'agit de Michael Oliver et de Gérard Picard, ancien président de la C.T.C.C.

Aux postes de vice-présidents, les Québécois sont à nouveau engagés dans une bataille avec la direction du parti. Celle-ci fait circuler parmi les délégués, le 3 août, une liste «officieuse» de cinq candidats pour combler ces postes. Il s'agit de cinq canadiens-anglais : David Lewis, Leo Mclassas, Harold Winch, Fred Dowling et Walter Young. Le même jour, le caucus de la délégation du Québec désigne à l'unanimité Roméo Mathieu comme candidat à la vice-présidence et, afin de soutenir sa candidature, les délégués du Québec produisent à leur tour leur propre liste de candidats dans laquelle le nom de Roméo Mathieu est inscrit. Le 4 août, malgré l'opposition de la direction du parti, Roméo Mathieu est élu vice-président contre Walter Young. Il s'agit d'une «habile victoire sur la haute direction du Nouveau Parti Démocratique ...»[18] Par ailleurs, parmi les quinze conseillers élus par le congrès et siégeant au Conseil fédéral, l'instance suprême entre les congrès, le Québec parvient à faire élire trois représentants, soit Thérèse Casgrain, Réginald Boisvert et Gilles Rochette.

C. Les réactions

Les réactions à la fondation du N.P.D. sont immédiates et nombreuses d'un bout à l'autre du Canada.

---

18 «N.P.D. : le Québec joue des coudes ... M. Roméo Mathieu est élu grâce à un stratagème ingénieux», *La Presse,* samedi 5 août 1961.

Au congrès de fondation, Roméo Mathieu est élu à l'un des cinq postes de vice-présidence, et T.C. Douglas au poste de chef du parti.

Du côté des partis dominants, les réactions au processus de fondation du Nouveau Parti ont commencé à s'exprimer dès janvier 61. De plus, elles ne souffrent pas d'ambiguïtés. À titre d'illustration, signalons que le parti libéral fédéral, à son congrès tenu à Ottawa les onze, douze et treize janvier 1961, adopte une résolution particulière engageant les libéraux à combattre la fondation du Nouveau Parti dans les syndicats[19].

Au Québec, au mois de mars 61, le nouveau premier ministre Jean Lesage fait publiquement des menaces voilées aux syndicats impliqués dans le processus de fondation du Nouveau Parti : «Je dois attirer votre attention, dit-il, sur le fait que cela pourrait entraîner des difficultés pour votre mouvement». Dans cette ligne de pensée, le ministre du Travail du gouvernement Lesage devait préciser la nature des entraves possibles; il expliquait que l'action politique des syndicats pourrait soulever des «difficultés» dans l'application de la formule Rand[20].

En Colombie-Britannique, dès le printemps de l'année 1961, le gouvernement Bennett fait adopter la loi 41 qui interdit aux organisations syndicales d'utiliser des fonds syndicaux à des fins politiques. Cette loi est farouchement combattue par le mouvement syndical.

Ces quelques exemples d'intervention témoignent de l'accueil que les «vieux» partis réservent à l'irruption d'un parti du travail sur l'échiquier politique. Aussi, quelques jours après la fondation du Nouveau Parti Démocratique, John Diefenbaker déclare que les élections prochaines au Canada ne peuvent que mettre en jeu l'un contre l'autre, «le socialisme et la libre entreprise»[21].

Mais parmi les réactions, la position des syndicats au Québec est fortement attendue. Dans les jours qui suivent le congrès de fondation, la F.T.Q. annonce publiquement qu'elle appuiera le N.P.D. sur la scène fédérale. Selon Roger Provost, président de la centrale, «aucun parti fédéral n'a jamais reconnu aussi formellement les droits des Canadiens-français, ni proposé des solutions aussi réalistes, en même temps que respectueuses de la Constitution, au problème des relations fédérales-provinciales»[22].

---

19 *Le Devoir*, 12 janvier 1961.
20 «Le Nouveau Parti : menaces voilées?» *Le Monde Ouvrier*, mars 1961.
21 MORTON, Desmond, *N.P.D., the dream of power, op. cit.*, p. 27.
22 «La F.T.Q. accordera son appui au N.P.D. fédéral», *Le Monde Ouvrier*, août 1961.

Hazen Hargue et T.C. Douglas entourent Roger Provost, président de la F.T.Q.

De son côté, dans une déclaration de son Bureau confédéral réuni le mercredi 9 août 61, la C.S.N. affirme se réjouir de la fondation du N.P.D., un parti «cherchant ses racines dans les couches laborieuses de la population et qui propose des objectifs avec lesquels, d'une façon générale, la C.S.N. ne peut faire autrement que d'être d'accord ... Disons que l'élan est dans la bonne direction et la volonté du groupe bien déterminée ... Tout progrès de la démocratie doit nous réjouir parce qu'il marque un pas contre les forces occultes et les grands intérêts»[23]. Mais la direction de la C.S.N. n'entend pas modifier la position de «neutralité» officielle de la centrale à l'égard des partis. Elle s'affirme libre (elle et ses affiliés) de porter son propre jugement politique sur les partis politiques «qui d'ailleurs présentent des caractéristiques différentes suivant leur champ d'activité et leurs tendances. Ils ne peuvent être jugés en bloc et sans distinction»[24].

Au niveau de la presse écrite, des journaux canadiens-anglais prennent ouvertement partie contre les positions adoptées par le congrès de fondation sur la question nationale. C'est le cas notamment du *Winnipeg Free Press* et du *Montreal Star*. Le *Winnipeg Free Press* dénonce les attitudes «irresponsables» du N.P.D. sur la question du fédéralisme canadien : le changement du mot «national» par le mot «fédéral» était inacceptable parce qu'il «soulevait une question de principe»[25]. La majorité des journaux du Québec reconnaissent l'importance politique de la création du N.P.D. et cela notamment en rapport avec la question nationale. Le journal *Le Devoir* déclare en éditorial :

> De parti centralisateur que fut le C.C.F. à ses débuts, est sorti le Nouveau Parti Démocratique, fédératif, adepte de la décentralisation des pouvoirs et des responsabilités. Cette évolution est certainement un des phénomènes les plus remarquables des dix dernières années et ne manquera pas d'influencer la politique des autres partis et d'indiquer un point tournant dans l'évolution politique du pays[26].

Mais que sera l'avenir du parti au Québec? Dans un éditorial intitulé «Le travail reste à faire», Guy Lamarche écrit pour sa part :

> Après avoir bien travaillé et bien manœuvré, les délégués du Québec au congrès du Nouveau Parti Démocratique sont revenus en chantant victoire sur presque toute la ligne.

---

23 *La Presse*, 10 août 1961.

24 *Ibid*.

25 Bloc Notes d'André Laurendeau, *Le Devoir,* 18 août 1961.

26 «Le Nouveau Parti Démocratique», *Le Devoir,* 5 août 1961.

Mais ils sont conscients que le plus gros du travail est à venir s'ils veulent maintenant que leur volonté s'implante dans la province de Québec. La province connaît déjà un appréciable renouveau politique qui est encore jeune. Il sera difficile pour le N.P.D. de convaincre la population qu'il lui faut tout de suite quelque chose d'encore plus nouveau.

Les Québécois ont gagné au congrès une première manche très importante en faisant accepter par le N.P.D. leurs idées sur le fédéralisme canadien ...

Mais en pratique, il serait naïf de croire que les délégués anglophones sont tous retournés chez eux avec la conviction que le Canada n'est pas une seule nation. Tout au plus sont-ils maintenant mieux informés sur les problèmes des Canadiens-français et connaissent-ils le désir de la «nation» canadienne-française d'être identifiée comme telle à l'intérieur de la Confédération[27].

Au sujet de la thèse des deux nations, Lamarche ajoute :

On pourrait dire en forçant la logique de cette conception que le Canada devrait tout simplement être une fédération formée de deux groupes nationaux, et non plus de dix provinces dont neuf apparaissent comme des divisions administratives, le Québec comme un quasi-État pour la nation canadienne-française ...

Reste que le passage de la première à la seconde conception demande une évolution beaucoup trop rapide des esprits pour qu'on y croit déjà. Ce serait un grand pas de fait pour le Canada français si l'attitude concrète des Anglo-canadiens s'arrêtait seulement à mi-chemin.

Dans le même ordre d'idées, il convient de citer ce «Bloc Notes» de Jean-Marc Léger dans le journal *Le Devoir* :

Les débats qui viennent de se dérouler pendant une semaine au Colisée d'Ottawa revêtent à plusieurs titres une grande importance et devraient influer considérablement sur l'évolution politique du Canada, parce qu'ils ont vu la naissance d'un nouveau parti, bien sûr, mais davantage encore parce qu'y a été reconnu et consacré le caractère bi-national du pays. En arrachant au congrès cette reconnaissance, la délégation du Québec a donné un magnifique exemple de lucidité, de persévérance et de conscience nationale ... Voici peut-être l'aube de cette gauche nationale dont nous avons depuis longtemps un pressant besoin pour faire cesser enfin le tragique divorce entre «social» et «national» qui a lourdement hypothéqué notre récente histoire politique et dont *Le Devoir* a constamment dénoncé la vanité et le danger...

Certains diront qu'il s'est agi là d'une fausse victoire, de la substitution artificielle d'une expression à une autre sans que les réalités profondes ne soient modifiées. On peut admettre que la

---

27 *La Presse*, 9 août 1961.

majorité des délégués anglophones ont consenti avec répu
gnance à substituer «fédéral» à «national», se sont laissés arracher
leur approbation à la thèse du pays bi-national et ne l'ont fait qu'en
raison de considérations électorales ... Lors même qu'il en serait
ainsi, l'approbation, même sans enthousiasme, du congrès fera
date : pour la première fois au Canada, un parti politique reconnaît
officiellement l'existence de deux nations et convient que
l'expression «national» ne saurait s'appliquer à des institutions,
des organismes, des structures édifiées à la mesure du pays.

Au groupe canadien-français d'exploiter sa victoire.

Or à partir de là, si la majorité croit avoir accordé un hochet à la
minorité sans devoir modifier son comportement sur l'essentiel,
on peut faire confiance à l'élément canadien-français du Nouveau
Parti pour imposer dans les faits ce qui a été obtenu dans les
textes. Les interventions de M. Michel Chartrand, de M. Gérard
Picard, de Roméo Mathieu au congrès, rejoignant les résolutions
adoptées par le groupe québécois du N.P., voici quelques mois à
Montréal, et le manifeste retentissant publié par certains éléments
de ce groupe, semblent porter la promesse d'une action permanente en vue de l'égalité complète des deux nations et de
l'émancipation globale de notre communauté.

C'est un parti «national» que les éléments canadiens-français du
Nouveau Parti Démocratique vont désormais édifier dans le
Québec d'abord, mais ce parti devra logiquement embrasser avec
le temps l'ensemble des Canadiens-français qui éventuellement,
d'un bout à l'autre du pays, y adhéreront (...) Il appartient
désormais à l'élément canadien-français d'exiger que l'égalité
soit respectée dans les faits, spécialement en ce qui concerne la
conception et la rédaction des documents de base ...

L'expérience du N.P. sera décisive quant aux possibilités d'une
coopération dans l'égalité; si l'expérience devait échouer, nous
sommes en droit désormais de penser que la gauche canadienne-
française en tirera toutes les conséquences[28].

L'évolution de la position du parti sur la question nationale
apparaît donc de manière générale comme une condition de son
développement, en particulier au Québec. Mais la nature même
du parti qu'il s'agit de construire, sa base sociale qui ne peut
pas être la même que celle des partis capitalistes, est aussi un
enjeu majeur. Des éditorialistes soulignent cette dimension en
plaidant contre la construction d'un parti des travailleurs fondé
sur les syndicats et en faveur d'un parti de toutes les classes de
la société.

Par exemple, Guy Lamarche du *Devoir* estime que les possibilités du parti, au Québec, sont liées au fait qu'il ne demeure

---

28 LÉGER, J.-M., «Victoire significative du Québec au congrès du Nouveau Parti», Bloc Notes, *Le Devoir,* 5 août 1961.

pas un parti fondé sur les organisations syndicales et le P.S.D., mais qu'il s'«élargisse» comme parti de toutes les classes de la société.

> On saura dans quelques mois si le parti provincial du N.P.D. se limitera à enrôler des syndicalistes progressistes et des anciens éléments du P.S.D., ou s'il pourra élargir ses cadres de façon à refléter une image de la population toute entière[29].

André Laurendeau doute quant à lui de l'avenir du N.P.D. au Québec : victoire politique pour les Québécois au congrès de fondation, certes; mais victoire dont il ne croit pas qu'elle conduise au succès du parti sur la scène provinciale.

> À mon sens, dit-il, les Canadiens-français du N.P.D. ont marqué une victoire moins spectaculaire mais plus certaine; ils ont commencé d'enraciner leur parti dans le milieu québécois. Ceci deviendra sans doute plus net quand un parti provincial autonome aura commencé à prendre devant l'opinion, sa physionomie propre ... Mènera-t-elle le N.P.D. à une rapide victoire provinciale? On en doute : les circonstances ne sont pas bonnes, et le parti mettra du temps à bâtir son prestige et son organisation. Mais les conséquences lointaines de cette évolution seront considérables, pourvu qu'elle se poursuive[30].

Gérard Pelletier, de *Cité Libre* et de la C.S.N. manifeste le même scepticisme. Se référant aux échecs du C.C.F. chez les Québécois, «un parti ayant toujours eu le penchant vers le faux pas», il écrit :

> Le N.P.D., au contraire, semble prendre un départ meilleur. À plusieurs reprises au cours du congrès, la délégation québécoise a crié victoire. Elle l'a même criée un peu haut à mon gré : je n'arrive pas à mourir d'aise pour quelques mots modifiés dans une constitution. Il reste tout de même significatif qu'une majorité, jusqu'ici assez rigide en pareille matière, ait voulu signifier qu'elle prenait conscience de notre existence ... Il lui reste enfin à prouver qu'il peut s'adapter aux conditions particulières de la politique provinciale[31].

D. Une victoire?

Peut-on parler de «victoire» de la délégation du Québec au congrès de fondation du Nouveau Parti en rapport avec la question nationale? Examinons la situation d'un peu plus près.

Il ne fait aucun doute que sur le plan de la stricte reconnaissance «officielle» par le Nouveau Parti de la «thèse des deux

---

29 *La Presse*, 9 août 1961.
30 «Le N.P.D. et les Canadiens-français», *Le Devoir*, 10 août 1961.
31 *La Presse*, éditorial, 5 août 1961.

nations», la délégation du Québec a remporté une victoire
contre la haute direction du parti. Cette victoire représente un
acquis pour tout le parti. Pour la première fois, en rupture avec
la politique des partis libéral et conservateur, le débat démocratique sur la reconnaissance de la nation québécoise a pu
s'amorcer. Et cela a été possible dans le parti fondé sur les
syndicats au Canada. Mais l'évaluation de la portée des gains
obtenus sur cette question au congrès doit être poussée plus
loin.

Les Québécois ont gagné une modification des statuts et
du programme du Nouveau Parti, mais il paraît assez évident
que les dirigeants canadiens n'attribuent pas la même interprétation aux conséquences politiques qui doivent découler de
ces changements. La direction du N.P.D. ne s'en fait pas outre
mesure par rapport aux modifications apportées au projet de
constitution. Pour un, Donald MacDonald, chef du N.P.D. en
Ontario, déclare à l'issue du congrès : «En dépit de l'adjectif
fédéral imposé par la délégation québécoise, le parti sera d'envergure nationale, c'est ce qui importe»[32]. Par exemple : alors
que les Québécois ont voulu voir dans la reconnaissance des
deux nations, une reconnaissance implicite du droit à l'autodétermination, la direction canadienne est loin d'y mettre le
même contenu et s'efforce de plaider pour l'unité canadienne.
Ce sont d'ailleurs les délégués du Québec eux-mêmes qui ont
préféré ne pas inscrire cette revendication du droit à l'autodétermination au texte de l'amendement. Dans l'esprit des
dirigeants canadiens-anglais, la reconnaissance du «principe»
de la dualité culturelle n'équivaut pas du tout à la reconnaissance du droit à l'autodétermination. Et cela est l'élément le
plus significatif. Le N.P.D. se fonde comme parti fédéraliste.
L'histoire ultérieure du parti nous donne des indications instruc-
tives à ce sujet; et près de 25 ans plus tard, ce droit n'est pas
encore reconnu au sein du N.P.D.

D'autre part, les manifestations de chauvinisme anti-
québécois au sein du parti ne sont pas non plus définitivement
enrayées. En témoigne la déclaration faite en novembre 1961,
soit quelques mois après le congrès, par Douglas Fisher, député
du N.P.D. à la Chambre des communes, lors d'un congrès
étudiant à l'Université Laval. Celui-ci déclare à cette occasion
que,

> si les Canadiens-français voulaient sortir de la Confédération, les
> Canadiens-anglais s'en réjouiraient, car ils ne produisaient que

---

32 «Le N.P.D. veut être un parti essentiellement canadien», *La Presse,* 5 août
1961.

des joueurs de hockey, des danseuses de cabaret et des représentants fédéraux qui n'étaient que d'irresponsables nullités[33].

La victoire est donc relative, le chauvisme persistant.

Nous croyons, quant à nous, que la direction du Nouveau Parti a accepté la thèse des deux nations sans pour autant en accepter ses implications pratiques et politiques; elle l'a acceptée afin d'empêcher la manifestation de divisions à la fondation du parti tout en voulant donner l'impression aux délégués du Québec qu'elle faisait siennes leurs revendications. Nous croyons donc que, sur l'essentiel, les positions de la direction n'ont pas réellement changé à ce congrès de fondation. Rien n'est vraiment réglé. Le problème central de la question nationale au sein du N.P.D. demeure posé. Le parti, tôt ou tard, y sera à nouveau inévitablement confronté.

---

33 WADE, Mason, *Les Canadiens français de 1760 à nos jours*, Tome II, p. 553.

Quatrième partie
L'IMPASSE SUR LA QUESTION DU QUÉBEC (1961-1985)

AU congrès de fondation, aucune des aspirations fondamentales des militants québécois du Nouveau Parti Démocratique n'est pleinement satisfaite, en dépit des gains qu'ils remportent quant à la reconnaissance de la «thèse des deux nations» dans les définitions des statuts et du programme. Le Nouveau Parti, par sa direction, proclame sa foi dans le fédéralisme et s'attache, dans les faits, à la défense des Actes de l'Amérique du Nord Britannique, se refusant à reconnaître le droit à l'autodétermination du peuple québécois.

Après la fondation du N.P.D. en 1961, les aspirations nationales du peuple québécois ne faiblissent pas. Au contraire elles s'affirment de plus en plus :

1. Remise en cause du fédéralisme lui-même;
2. Revendication de la souveraineté du Québec, de l'indépendance;
3. Volonté de faire respecter les droits de la majorité française en matière linguistique;
4. Explosion de la culture québécoise;
5. Contestation du caractère confessionnel du système scolaire;
6. Montée de la combativité ouvrière et de la force organisée que représentent les grandes centrales syndicales F.T.Q.-C.S.N.-C.E.Q..

Quelques événements de l'époque illustrent l'importance de ces aspirations. C'est notamment la montée du R.I.N. qui récolte tout près de 7% du suffrage populaire aux élections de 1966; c'est aussi l'époque du F.L.Q. et du choc qu'il provoque; c'est celle de la convocation des États généraux du Canada français (1966). C'est finalement la fondation du Parti

Québécois (1968) et sa progression jusqu'au pouvoir le 15 novembre 1976.

Ces événements montrent que l'État fédéral canadien est, à ce moment-là, heurté de plein front et que la crise amorcée ne peut que s'accentuer. La Commission Laurendeau-Dunton fait ce diagnostic en 1965; la Commission Pépin-Robarts viendra le confirmer quinze ans plus tard.

En regard de ces développements, dans la période ultérieure à 1961 et sous la pression des aspirations nationales du peuple québécois, il s'agit maintenant de savoir si la position de la direction fédérale du N.P.D. sur le Québec change au cours des 25 années qui vont suivre, et quel effet provoque cette position sur le parti au Québec.

Chapitre 11
VERS L'ÉCLATEMENT

A U cours des années 60, l'orientation fédéraliste de la direction fédérale du N.P.D. est maintenue. Toutes les interventions publiques des hautes instances du parti se situent sur le terrain de la sauvegarde de l'unité canadienne et de l'État central.

Cette orientation n'est pas sans continuer de provoquer des répercussions au Québec, particulièrement au sein du Conseil provisoire du Nouveau Parti Démocratique nouvellement créé. En effet, à compter du mois d'août 1961, le Comité provincial du Nouveau Parti s'est transformé en «Conseil provisoire du Nouveau Parti Démocratique de la province de Québec». Sa composition est tripartite : des représentants de la F.T.Q., de l'ex-P.S.D., ainsi que des clubs du Nouveau Parti s'y retrouvent en nombre égal[1]. Le Conseil provisoire a une tâche primordiale à accomplir : préparer le congrès de fondation du Nouveau Parti Démocratique du Québec. Mais rapidement les divergences vont s'intensifier en son sein et mener l'organisation sur la voie de l'éclatement, c'est-à-dire à la scission en bonne et due forme de juin 1963.

A. Le maintien d'une orientation

Le congrès de fondation du N.P.D., sous la pression de la délégation québécoise, a adopté la «thèse des deux nations». Mais sur le fond, nous l'avons vu, la direction fédérale n'a pas réellement changé d'opinion. Elle a accepté un léger compromis dans les statuts du parti, mais cela n'a pas remis en cause sa position en faveur du fédéralisme canadien. Aussi, pour les dirigeants du N.P.D., il n'existe pas «deux nations» mais bien une seule «nation canadienne». Les faits postérieurs à 1961 vont venir le confirmer.

La question constitutionnelle fait l'objet d'une première longue déclaration du chef fédéral du N.P.D., Tommy Douglas, le 15 janvier 1962, à Toronto, devant la *Osgoode Hall Legal and Literary Society*. Le thème en est «l'unité canadienne et la cons-

---

1 Chacune des trois parties a dix représentants.

titution». Cette intervention se situe dans le cadre des discussions entourant la nouvelle formule de modification de la constitution canadienne proposée par le gouvernement Diefenbaker. Elle s'inscrit également dans la perspective du centenaire de la fédération canadienne. Il est intéressant de noter, dès les premières lignes, l'escamotage de la «thèse des deux nations» au profit de la «nation canadienne» et du caractère «bi-culturel» de l'État canadien.

> En 1967, explique Tommy Douglas, le Canada célébrera son centenaire. Si nous voulons, à ce moment-là, posséder tous les attributs d'une nation complètement indépendante, nous devons absolument, étant donné le caractère bi-culturel de l'État canadien, faire le nécessaire pour doter le pays d'une constitution qui lui permette de progresser tout en sauvegardant l'unité nationale[2].

Dans cette déclaration, le chef du N.P.D. donne son accord au «rapatriement» de la constitution canadienne, mais se prononce en même temps en faveur de l'instauration d'un gouvernement central fort :

> La crainte, explique-t-il, de changements inconsidérés ne doit pas faire échec à des modifications nécessaires au bien commun ... Évidemment, les responsabilités provinciales découlant de l'institution d'un système moderne de services sociaux ont augmenté sensiblement. Cet essor de l'activité gouvernementale provinciale ne pouvait être prévu par les Pères de la Confédération. Nous ne saurions donc endosser en 1962, une conception de la Confédération acceptable à l'époque, soit en 1867. Nous savons que les décisions des tribunaux restreignant les pouvoirs du gouvernement fédéral ont suscité des difficultés lorsque l'on veut résoudre des problèmes par des mesures de portée fédérale.

Ainsi donc, pour le dirigeant du N.P.D., l'État fédéral canadien était «acceptable» en 1867 et doit aujourd'hui renforcer ses prérogatives au niveau central. Plus loin, dans sa déclaration, Douglas ajoute qu'une «constitution ne vaut que dans la mesure où elle favorise une action gouvernementale efficace et l'unité canadienne, facilitant ainsi le progrès du Canada». Pour y parvenir, il propose donc, tout en conservant intacts les Actes de l'Amérique du Nord Britannique, l'insertion d'une «Déclaration des droits et libertés» fondamentales dans la constitution, jumelée à une nouvelle formule d'amendement. Comme on le

---

2 Communiqué de presse du N.P.D.
«Discours prononcé par M. T.C. Douglas, chef du Nouveau Parti Démocratique devant la *Osgoode Hall Legal and Literary Society,* Hôtel King-Edward, Toronto, Ontario, 15 janvier 1962. Archives sur le N.P.D., Centre de documentation de la F.T.Q., Montréal.

sait, cette «idée» que le N.P.D. émet en 1962 sera reprise vingt ans plus tard par P. E. Trudeau.

Parmi les garanties que les dirigeants du N.P.D. veulent faire inscrire dans cette future déclaration, il y a les libertés de culte, de parole, de presse, de réunion et d'association; l'interdiction de la discrimination pour raison de race, de couleur, de sexe ou de croyance; l'interdiction des arrestations et emprisonnements arbitraires; la garantie d'élections libres, etc.. Dans cette liste, ne figure pas la reconnaissance du droit à l'autodétermination, ni de façon générale, ni pour le peuple québécois en particulier.

Par ailleurs, en ce qui concerne les pouvoirs jugés «non-fondamentaux», dont les prérogatives réservées aux provinces par l'article 92, le chef du N.P.D. fédéral s'oppose à ce que les modifications à ce chapitre soient sujettes au consentement unanime des provinces. Conséquemment, un «droit de veto» pour le Québec n'est nullement envisagé. Bien au contraire, Douglas se prononce en faveur du transfert au niveau fédéral d'un certain nombre de prérogatives législatives, notamment en matière de relations de travail (l'institution d'un code «national» du travail), de législation sociale et de réglementation du commerce.

Voilà donc le contenu essentiel de cette déclaration du 15 janvier 1962. Cette déclaration, une des premières d'envergure sur la question nationale et l'État au Canada après le congrès de fondation, confirme l'orientation des dirigeants du N.P.D..

Mais cette déclaration provoque rapidement un mouvement de protestation chez les membres québécois du Nouveau Parti Démocratique qui acceptent mal que la «thèse des deux nations» soit ainsi déniée.

Le 24 janvier, après avoir avisé la direction fédérale du parti, le Conseil provisoire du N.P.D.-Q. fait connaître sa propre position publiquement.

Dans un premier temps, le Conseil provisoire affirme son désaccord avec la formule d'amendement de la constitution mise de l'avant par le gouvernement fédéral et pilotée par le ministre de la Justice, Davie Fulton. Il s'y oppose en raison de l'absence de consultation publique auprès de la population, et il dénonce le caractère anti-démocratique des procédés employés par le gouvernement fédéral dans son entreprise.

Le Conseil s'oppose également à la formule proposée parce qu'elle traite le Québec sur le même pied que les autres provinces, sans droit de veto, ni statut particulier. Il profite de l'occasion pour réaffirmer le concept des deux nations et la théorie du «pacte confédératif» :

> En second lieu, la formule proposée par le ministre fédéral de la Justice méconnaît le caractère fondamental et distinctif de l'État canadien : l'existence de deux nations. L'époque où l'on pouvait favoriser l'objectif illusoire et stérile de l'uniformité canadienne est révolue. La Confédération demeure essentiellement une entente, un pacte entre les communautés de langue française et anglaise du Canada. Le maintien de cette association ne sera possible qu'à la condition expresse qu'il soit établi qu'aucune des deux nations n'a le droit de contrecarrer l'épanouissement de l'autre, que ni les Canadiens-français ni les Canadiens-anglais ne peuvent imposer à leur partenaire dans la Confédération, des changements aux conditions du pacte[3].

Enfin, l'organisation québécoise prend ses distances face à la déclaration de T.C. Douglas, tout en cherchant à éviter un affrontement public avec la direction fédérale du N.P.D..

> M. T.C. Douglas, chef fédéral du Nouveau Parti Démocratique a parlé à Toronto de rapatriement et d'amendement de la constitution. Son discours a suscité de nombreux commentaires de la part de la presse du Québec et parmi les membres québécois du Nouveau Parti Démocratique. Le Conseil tient cependant à souligner que des précisions supplémentaires sont requises afin de garantir les droits de la province de Québec dans toute formule acceptable de procédure d'amendement de la Constitution. M. Douglas n'avait sûrement pas l'intention d'arrêter définitivement, par ce discours, la politique du Nouveau Parti Démocratique à ce sujet. Il apparaît que le Conseil fédéral du Nouveau Parti Démocratique avait adopté une résolution, la veille de son discours, qui réclamait l'élaboration d'une alternative adéquate et réaliste à la formule maladroite, incompréhensible et foncièrement réactionnaire qu'est la «Formule Fulton».

> Les principes généraux de cette alternative ont déjà été énoncés et font partie du programme du Nouveau Parti Démocratique. Parce que la province de Québec est l'expression politique la plus parfaite de la nation canadienne-française, aucun changement de juridiction concernant son autonomie ne doit être fait sans son assentiment. Aucune majorité ne doit restreindre les droits du Canada français. Cependant le désir qu'a le Québec de préconiser une politique particulière dans le cadre de la Confédération ne devrait pas empêcher une majorité de provinces à caractère anglo-canadien, de modifier la répartition des pouvoirs entre ces provinces et le gouvernement fédéral. Il n'y a pas de raison valable pour laquelle les relations des gouvernements fédéral et de la province de Québec doivent être identiques à celles que le fédéral entretient avec les gouvernements des autres

---

3 Communiqué de presse du N.P.D.-Québec, 24 janvier 1962.

provinces. Les lois fondamentales concernant la langue, l'éducation, et les droits de l'homme doivent être intangibles, mais les
droits et les besoins particuliers de la province de Québec peuvent
être garantis sans que les autres provinces soient obligées de
suivre la même voie.

Le Nouveau Parti Démocratique est le seul parti politique qui a
reconnu pleinement le caractère bi-national de l'État canadien. Il
n'y a aucun doute qu'une fois sa formule de rapatriement et
d'amendement de la constitution rendue publique, on pourra
constater qu'elle tient compte intégralement de ce principe.

Cette réaction du Conseil provisoire du N.P.D.-Q. entraîne
immédiatement une modification du «discours» de la direction
fédérale du parti, mais sans que cette dernière ne reconnaisse
pour autant l'existence de «deux nations», comme le demande
l'aile québécoise.

Dès le 20 février, par l'intermédiaire de Tommy Douglas et
de Roméo Mathieu, vice-président du parti et président du
Conseil provisoire au Québec, le N.P.D. fédéral appelle à la
tenue d'une Commission d'enquête fédérale-provinciale sur le
fédéralisme et le biculturalisme au Canada. Au terme de cet
appel, les deux dirigeants affirment que le «Nouveau Parti
Démocratique croit que la création, sans délai, de cette
commission est requise afin que le Canada puisse célébrer le
centenaire de la Confédération dans l'unité, sachant où il va»[4].

Un an plus tard, en février 1963, la direction fédérale du
parti demande l'élaboration d'une nouvelle constitution sur la
base de la reconnaissance de l'égalité des deux «partenaires»
de la fédération. Elle ne remet évidemment pas en cause
l'édifice fédéral comme tel et ses Actes constitutifs, mais
propose tout simplement de les amender en constituant un
«Conseil de la Confédération». Cette nouvelle institution serait
formée d'un nombre égal de Canadiens-français et de
Canadiens-anglais et serait limitée à un rôle consultatif auprès
des gouvernements fédéral et provinciaux. Cet espèce de
conseil des *sages*, explique le N.P.D., «cristalliserait définitivement le concept de l'égalité des partenaires dans la Confédération». Il serait «le premier pas sur la route que nous devons

---

4 Communiqué de presse du N.P.D..
   Déclaration conjointe émise par M. T.C. Douglas, chef du Nouveau Parti
   Démocratique et Roméo Mathieu, président, Conseil provisoire du Nouveau
   Parti Démocratique de la Province de Québec, lors d'une conférence de
   presse tenue à l'Hôtel Mont-Royal, mardi le 20 février 1962. Archives sur le
   N.P.D., Centre de documentation de la F.T.Q., Montréal.
   Cette réclamation sera inscrite au programme électoral du N.P.D. en juin
   1962.

şuivre si nous voulons célébrer 1967 unis et forts dans la poursuite d'un objectif commun»[5].

Commentant publiquement cette dernière initiative, le nouveau président du Conseil provisoire du N.P.D.-Q. en 1963, Fernand Daoust, déclare :

> Cette nouvelle formule marque la fin de l'équivoque voulant qu'on identifie sans cesse les droits d'une des nations canadiennes à ceux de l'autonomie d'une simple province.
>
> En abordant le sujet du binationalisme, en plein coeur du Canada anglais à Toronto, Tommy Douglas nous donne une preuve de plus du sérieux et de l'importance que le N.P.D. attache à cette question. Ce geste lucide reflète les aspirations profondes et les volontés du Canada français.
>
> Tout en prenant bien garde de tomber dans quelque forme que ce soit de démagogie, poursuit Fernand Daoust, les gens de la gauche démocratique doivent tenir compte du sentiment national et de ses éléments positifs. Il est normal qu'au siècle de la décolonisation, la nation canadienne-française elle aussi atteigne à la maturité et entende adhérer au concert des nations souveraines au même titre que la nation anglo-canadienne. Il est inadmissible en effet que l'une des deux nations soit reléguée au rang d'une province entre dix autres. Il est inadmissible que la langue maternelle de l'une des deux nations qui est celle du peuple du Québec, soit continuellement bafouée au Québec même, dans les relations ouvrières-patronales. Il est inadmissible que le Canadien-français moyen soit forcé de laisser sa langue à la maison le matin pour ne la retrouver qu'en rentrant le soir à la maison! Il est inadmissible que le Canada français soit entraîné tous les vingt ans à participer contre son gré à des hécatombes universelles.
>
> Seul le N.P.D. offre au Canada français des garanties de paix et d'épanouissement national[6].

Que peut-on comprendre de ces quelques propositions faites par la direction fédérale en 1962-1963 en faveur de la création d'une Commission d'enquête sur le fédéralisme et le biculturalisme et d'un Conseil de la confédération?

À la lecture des événements, il ressort clairement que, devant le déferlement des aspirations nationales au Québec et la crise du Canada qui en résulte alors, la direction fédérale du

---

5   Communiqué de presse du N.P.D.-Québec, le 28 février 1963.

   «Extraits d'un discours de T.C. Douglas, chef du Nouveau Parti Démocratique, prononcé en assemblée publique à Toronto. Archives sur le N.P.D., Centre de documentation de la F.T.Q., Montréal.

6   «La déclaration de Douglas marque la fin d'une équivoque», Fernand Daoust.

   Communiqué de presse du N.P.D.-Q., 4 mars 1963. Déclaration faite à l'occasion d'une assemblée de désignation d'un candidat du N.P.D. dans le comté de Saint-Jacques à la veille des élections fédérales du 8 avril.

Fernand Daoust, président du Conseil provisoire du N.P.D.-Québec en 1963.

N.P.D. propose des «retouches» de façon à ce que la situation soit mieux maîtrisée. Elle le fait en évitant de toucher aux fondements de l'État canadien.

La création de la Commission royale d'enquête sur le bilinguisme et le biculturalisme en 1963, la Commission Laurendeau-Dunton, est donc partiellement le résultat de l'initiative de la direction fédérale du N.P.D..

Au deuxième congrès fédéral du parti, tenu à Régina en août 1963, la direction appelle à la tenue d'une conférence constitutionnelle pour l'année 1967, date du centenaire de l'Acte de fondation du Canada.

En 1964, la direction réaffirme la nécessité d'un «gouvernement fédéral fort» et condamne la perspective de l'indépendance du Québec. Situant d'emblée leur position dans un cadre fédéraliste, les dirigeants se prononcent en faveur d'un nouvel «arrangement» constitutionnel : la reconnaissance d'un «statut spécial» pour le Québec au sein de la fédération canadienne. Dans une «Déclaration sur la crise constitutionnelle», publiée en août 1964, les autorités du parti déclarent :

> Le Québec peut, s'il le désire, voter la séparation du reste du Canada mais le Nouveau Parti Démocratique croit que cette trajectoire serait nuisible au Canada tout entier et qu'elle ne serait pas plus à l'avantage du Québec que du Canada. Elle diminuerait le prestige national du Canada et aurait pour conséquence d'appauvrir tout le Canada, incluant le Québec, sur le plan économique comme sur d'autres plans.
>
> Si le Québec décide, comme nous croyons qu'il le fera, de demeurer au sein de la Confédération, un statut spécial fondé sur sa tradition et sa culture devra être reconnu[7].

Quelques années plus tard, en juillet 1967, le congrès fédéral entérine cette position.

Ces quelques déclarations qui suivent le congrès de fondation du parti témoignent donc globalement de l'orientation imprimée par la direction du N.P.D. sur la question du Québec au cours des années 60. Cette orientation peut se résumer ainsi : oui à des «ajustements», oui à des «aménagements»; mais non aux «chambardements», non à une remise en cause du fédéralisme canadien qu'entraînerait la reconnaissance du peuple québécois comme nation, et son droit à l'autodétermination.

C'est donc dans ce contexte, coincé entre la position fédéraliste des hautes instances du parti fédéral (et de plusieurs diri-

---

7 Archives sur le N.P.D., Centre de documentation de la F.T.Q., Montréal.

geants du Conseil provisoire du Québec) et la montée des aspirations nationales du peuple québécois, que le N.P.D. entreprend sa tentative de construction au Québec. Son objectif est la fondation d'un parti provincial.

B. Crise, scission et échec

À l'origine, le congrès de fondation du Nouveau Parti Démocratique du Québec (N.P.D.-Q.) est fixé au mois de février 1962, quelques mois après le lancement du parti fédéral. Cependant, le congrès ne se tient pas à la date fixée. Il est reporté à quatre reprises; il est d'abord repoussé à novembre 1962, puis au mois de mars 1963, puis en mai 1963, pour être enfin définitivement fixé aux 29 et 30 juin 1963. Par ailleurs, prévu initialement comme un *congrès de fondation*, le Conseil provisoire décide, en avril 63, de le transformer en simple *congrès d'orientation*.

1.   LES RAISONS DU REPORT.

Ces remises successives du congrès et le changement dans son objectif même peuvent être expliqués par des facteurs de divers ordres[8].

En septembre 1961, lorsque le Conseil provisoire du N.P.D.-Québec met en place ses sous-comités préparatoires au congrès, il est rapidement placé devant les faits suivants : premièrement, la somme de travail à accomplir avant le délai de février 1962 est trop imposante pour être réalisée à temps; deuxièmement, les rumeurs d'élections fédérales que s'apprêterait à déclencher le premier ministre Diefenbaker vont bon train. En conséquence, le Conseil provisoire décide de reporter le congrès *sine die*. L'hiver et le printemps 62 sont d'ailleurs utilisés pour l'organisation de la première campagne électorale fédérale à laquelle le N.P.D. participe, au Québec comme ailleurs. Les élections sont annoncées pour le 18 juin. À l'échelle du pays, le parti récolte 13,4% du suffrage exprimé et fait élire 19 députés. Au Québec, il récolte 4,4% du suffrage; dans la seule région de Montréal, le N.P.D. recueille un peu plus de votes, soit 9,7% du vote populaire.

Il demeure que dans l'ensemble, au Québec, les résultats ne sont guère impressionnants. Néanmoins, les dirigeants ne s'en font pas outre mesure. Ne s'agit-il pas là de la première expérience électorale du N.P.D. au Québec!

---

8 Pour plus de détails sur cette section, voir la description complète des événements de 1963 au sein du N.P.D.-Québec faite par Roch Denis dans son livre, *Luttes de classes et question nationale au Québec, op. cit.*, pp. 309 à 330 et pp. 331 à 352.

Suivent immédiatement les élections provinciales au Québec. Appelées par le gouvernement Lesage sur le thème de la nationalisation de l'électricité, elles sont annoncées pour le 14 novembre. Toutefois, ne se disant pas prêt à affronter ces élections, le N.P.D.-Québec, qui est encore en formation, n'y présente pas de candidats. Pourtant, aux élections fédérales précédentes, le Conseil provisoire avait vu là une occasion de se construire dans l'action, d'offrir un pôle et donc de recruter. Alors, à quoi attribuer ce changement d'attitude? Est-ce la crainte d'un échec, ou le résultat dans ses propres rangs de la pression du nationalisme montant et du parti libéral qui fait campagne, derrière le ministre Lévesque et avec l'appui de la F.T.Q., sur le thème de la nationalisation de l'électricité. Il est difficile de répondre à cette question avec précision, mais il est certain que cette pression joue, sur le moment, un rôle non négligeable.

Enfin, de nouvelles élections fédérales ont lieu le 8 avril 1963. Cette fois-ci, les résultats du N.P.D. au Québec sont plus reluisants. Au plan fédéral, le parti récolte 13,1% des suffrages et fait élire 17 députés; au Québec, il récolte 7,13% des voix. Dans la région de Montréal, la performance du N.P.D. est encore une fois un peu plus élevée que dans le reste du Québec. Elle est de 12,8%.

Ainsi, en moins d'un an, le N.P.D., au Québec, rencontre sur son chemin pas moins de trois élections successives. Il y a là au moins une partie de l'explication des reports successifs du congrès de fondation. Mais la raison la plus importante réside ailleurs.

De graves divergences divisent le Conseil provisoire depuis plusieurs mois; la question en jeu, c'est encore une fois la question nationale, doublée du dilemme des rapports qu'entretiendra le futur parti sur la scène provinciale avec le parti fédéral.

2.   LA QUESTION NATIONALE.

À propos de l'orientation à définir sur la question nationale, trois tendances se dégagent au Conseil provisoire. La *première* est défendue par une partie des dirigeants, dont Gérard Picard, Michael Oliver, Charles Taylor, Jean-Robert Ouellet, Roméo Mathieu, Julien Major. Cette tendance préconise l'élaboration d'une nouvelle constitution fédérale. Celle-ci devra reconnaître le droit de chacune des deux nations à l'autodétermination et prévoir la division des responsabilités entre les deux nations et le gouvernement fédéral, sur la base d'un consentement mutuel.

La *deuxième* tendance est représentée par la F.T.Q.. La centrale syndicale définit sa position en plusieurs points : négociation d'un nouveau «pacte confédératif», reconnaissance, dans le préambule de la nouvelle constitution, des deux nations et de leur droit à l'autodétermination, et enfin renforcement de toute une série de prérogatives des «États» provinciaux.

Enfin, une *troisième* tendance, représentée entre autres par Michel Chartrand, Jacques-Yvan Morin et André L'Heureux, plaide en faveur de l'établissement d'une nouvelle confédération, au sein de laquelle le Québec aurait les pouvoirs d'un État avec statut particulier. Il serait considéré comme État associé au reste du Canada.

Les divergences ne portent pas sur le fait de savoir si le parti doit être pour ou contre l'indépendance du Québec. Cette question n'est pas posée, du moins ouvertement. Les désaccords portent plutôt sur l'ampleur à donner aux réaménagements de la structure de l'État fédéral canadien. Car les trois tendances proclament vouloir faire reconnaître le droit à l'autodétermination du peuple québécois au sein du parti fédéral.

3.   LA NATURE DU PARTI À CRÉER.

Le deuxième affrontement concerne les liens que devrait entretenir le nouveau parti provincial avec le N.P.D. fédéral. Encore là, trois tendances s'affrontent.

Une *première* prend la défense de l'affiliation directe du Nouveau Parti du Québec au N.P.D. fédéral. Cette affiliation par ailleurs ne réduirait pas le N.P.D.-Q. au statut de simple section provinciale du N.P.D.. En effet, ses défenseurs entendent faire prévaloir, dans les instances fédérales du parti, notamment au congrès prévu pour 1963, la pleine autonomie du parti au Québec. Ils veulent y arriver en faisant modifier le libellé même des statuts du parti fédéral.

Les statuts de 1961 prévoient que chaque parti provincial est autonome quant à ses règles internes et à son programme, en autant que ses statuts et son programme n'entrent pas en conflit avec les principes fondamentaux ou les statuts du parti fédéral. Les promoteurs de la première tendance entendent faire accepter par le congrès fédéral le changement de cette dernière partie de l'énoncé des statuts de 1961 qui précise l'exigence de l'accord de chaque parti provincial avec les «principes fondamentaux du Parti fédéral ou avec sa constitution». Ce texte serait changé, appelant dorénavant à un accord avec «les principes de base du socialisme démocratique». Bref, un libellé beaucoup plus souple qui laisserait au N.P.D.-Québec une marge de manœuvre plus grande.

La *deuxième* tendance privilégie la création de «deux partis» : soit d'un côté une section provinciale du N.P.D. et, de l'autre, un parti indépendant au Québec, les deux se partageant de part et d'autre le terrain d'intervention. Le premier agirait sur le terrain électoral fédéral, le deuxième sur le terrain électoral provincial. Cette deuxième option ne s'exprime pleinement qu'au moment même du congrès de juin 1963.

Enfin, une *troisième* tendance favorise la création d'un parti au Québec entièrement séparé du N.P.D. fédéral et n'entretenant avec lui que des liens «fraternels». Ce parti «séparé» au Québec agirait sur les deux scènes électorales à la fois, tant au fédéral qu'au provincial.

4.   L'ÉCLATEMENT.

La lutte entre ces différentes tendances est vive pendant toute l'étape préparatoire au congrès et lors de ses assises plénières. Finalement, au terme du congrès d'orientation, les délégués retiennent ce qui apparaît à certains comme un compromis. Dans le débat sur la nature du parti à créer, le parti vote en majorité pour la deuxième tendance, à savoir la création de deux partis séparés, un N.P.D.-Québec œuvrant sur le terrain électoral fédéral et un Parti socialiste du Québec (P.S.Q.) œuvrant uniquement sur la scène provinciale. Un épisode de l'histoire du N.P.D.-Québec vient d'être franchi. Car, en réalité, le résultat du congrès de 1963 n'est pas un compromis. C'est bel et bien une «véritable scission qui est intervenue»[9] entre les diverses tendances, et cela dans les structures mêmes du parti. D'ailleurs, les délibérations du congrès se sont centrées sur cette question, prenant le pas sur l'ensemble des autres points à l'étude. Le N.P.D.-Québec, qui tente tant bien que mal de se construire depuis 1961, sort de ce congrès, éclaté en deux morceaux. L'unité est rompue et l'élan brisé. Citons à ce propos les conclusions auxquelles en vient Roch Denis :

> C'est donc écartelé entre deux politiques, la défense de l'État fédéral érigé en 1867 et le nationalisme prônant la rupture avec le parti du mouvement ouvrier au Canada anglais que le N.P.D.-Québec est mort avant même d'avoir été créé officiellement.
>
> ...Cette scission consacrait l'échec d'un processus d'indépendance politique du mouvement ouvrier qui s'était amorcé depuis les dernières années de la «Grande Noirceur».

---

9   DENIS, Roch, *op. cit.*, p. 342.

Elle marquait en même temps, l'ouverture d'une période au cours de laquelle les directions du mouvement ouvrier, cette fois sans exception, prendraient à nouveau et plus résolument leur distance par rapport à cette idée d'un parti indépendant des classes laborieuses fondé sur les syndicats[10].

En août 1963, après cet éclatement, les représentants du Conseil provisoire, avec l'appui de la F.T.Q., réussiront à faire adopter par le congrès fédéral du parti la reconnaissance de l'autonomie provinciale pour le N.P.D.-Québec, et dans son orientation et dans ses statuts, avec comme seule balise le fait de demeurer conforme aux principes du socialisme démocratique. Les possibilités d'action et d'influence sur le N.P.D. fédéral, même difficiles, restent donc encore possibles en 1963. Mais déjà, la F.T.Q., la seule centrale impliquée au Québec, prend de plus en plus ses distances face au projet de création du parti provincial après le congrès de juin. Comme centrale, elle continuera à appuyer le N.P.D. sur la scène fédérale.

Quant au projet de fondation du N.P.D.-Québec en 1963, c'est bel et bien raté.

De son côté, le P.S.Q. vivotera pendant quelques années. Il piétinera tant sur le plan du membership que sur le plan du support électoral. Son membership ne dépassera guère les 200 à 300 membres dans les moments les plus forts. Toutefois, il décidera de présenter cinq candidats aux élections québécoises de 1966; mais il ne récoltera qu'un peu plus de mille voix (1 267 voix au total). Faible, ne bénéficiant d'aucun lien organique avec les organisations syndicales, largement pénétré de l'influence du nationalisme, il se dissoudra, tout comme le R.I.N., au cours de l'année 1968, année de fondation du Parti Québécois.

---

10 *Ibid.*, p. 351.

Chapitre 12
D'ÉCHECS EN ÉCHECS : 1965-1976

L E congrès d'orientation de 1963 a entraîné une cassure dans le processus d'édification du N.P.D. au Québec. Mais l'éclatement du parti ne va par ailleurs pas empêcher diverses tentatives de reconstruction entre 1965 et 1979.

Dans un premier temps, il y a la tentative de Robert Cliche qui s'échelonne de 1965 à 1968; puis, celle de Raymond Laliberté au cours des années 1971 et 1972; et enfin, celle d'Henri-François Gautrin de 1973 à 1979. Mais, comme nous le verrons, chacune de ces tentatives se heurte aux mêmes obstacles : d'un côté la position de la direction fédérale du N.P.D. sur le Québec, suscitant débats et crises dans le N.P.D.-Québec, de l'autre la montée des revendications nationales.

A. La relance avortée

En 1962 et 1963, jusqu'au congrès d'orientation de juin, le Conseil provisoire du N.P.D.-Q. est dirigé successivement par Roméo Mathieu et Fernand Daoust. Mais il s'agit là, en quelque sorte, de présidences transitoires, en attente des résultats du congrès de juin 1963. Après la scission de 1963, une nouvelle équipe prend la relève au sein d'un nouveau «Comité provisoire d'organisation du N.P.D.-Québec». Cette nouvelle équipe est dirigée par Jean-Robert Ouellet, président, et par Robert Cliche, vice-président. On y retrouve un certain nombre d'autres personnalités, dont Gérard Picard, Roger Provost, Roméo Mathieu, Julien Major, Charles Taylor[1]. Quant à Fernand Daoust, il rejoint pour un temps le P.S.Q. dont il devient le premier président.

Même si elle affirme la nécessité de réviser les structures politiques canadiennes, la nouvelle équipe dirigeante du N.P.D.-Québec se situe d'emblée sur le terrain de la défense du

---

1 Communiqué de presse du N.P.D.-Québec. «Le N.P.D. du Québec intensifiera son action sur le plan fédéral», 19 juillet 1963. Archives sur le N.P.D., Centre de documentation de la F.T.Q., Montréal.

fédéralisme. Elle favorise le maintien du Québec au sein du Canada. Se référant à cette orientation de base des membres du Comité provisoire, le président déclare à la presse :

> Si, dans l'esprit de ses membres, la constitution et les structures politiques canadiennes doivent être révisées, il n'en reste pas moins qu'à leur avis, c'est à l'intérieur d'une Confédération canadienne ainsi rénovée et adaptée aux exigences économiques, sociales et politiques de notre époque que la nation canadienne-française a encore plus de chance de réaliser son plein épanouissement.

> Les meilleurs intérêts du peuple du Québec exigent qu'on fasse, de concert avec les éléments démocrates et progressifs du Canada anglais, l'effort d'utiliser l'instrument politique qu'offre le N.P.D. pour réaliser une nouvelle Confédération canadienne qui réponde à ses exigences[2].

Dans cette même déclaration, Jean-Robert Ouellet appelle les sociaux-démocrates de toutes tendances au dialogue «en vue de réaliser, si possible, l'unité au sein des forces démocratiques du Québec». Cette déclaration est suivie du deuxième congrès fédéral du N.P.D. qui se tient à Régina en août 1963. Ce congrès entérine l'exigence d'une Conférence constitutionnelle extraordinaire pour l'année 1967. Mais le N.P.D.-Québec ne prend pas son envol pour autant.

1.   ROBERT CLICHE ENTRE EN SCÈNE.

C'est alors qu'intervient la candidature de Robert Cliche à la tête du N.P.D.-Québec. Personnalité connue, avocat et originaire de Beauce, brillant orateur et bilingue par surcroît, Robert Cliche apparaît aux membres du N.P.D., tout comme à la direction fédérale, comme le candidat par excellence pour présider le parti et le lancer. Dans son ouvrage sur le N.P.D., Desmond Morton écrit à propos de Robert Cliche :

> Avec Cliche, le N.P.D. avait ce que le C.C.F. n'a jamais eu, un dirigeant capable de s'adresser à la population laborieuse et rurale du Québec tout aussi bien qu'à l'auditoire anglophone[3].

C'est donc en s'appuyant sur la candidature de Robert Cliche qu'est entreprise la préparation du congrès officiel de fondation du N.P.D.-Québec qui aura lieu du 19 au 21 mars 1965 à Montréal.

Entre-temps, le N.P.D. fédéral travaille à définir sa position constitutionnelle en prévision de son congrès de juillet 1965 et des élections fédérales qu'il anticipe. Le responsable du dossier

---

2 *Ibid.*
3 MORTON Desmond, *N.P.D., The dream of power, op. cit.*, p. 57.

En mars 1965, Robert Cliche prend la tête du N.P.D.-Québec
qui est officiellement fondé.

Louis Laberge et Jean Marchand entourent le nouveau chef du
N.P.D.-Québec.

est Charles Taylor, professeur à l'Université McGill. Au Conseil fédéral du 11 février 1965, avec la participation de Robert Cliche et de Tommy Douglas, les dirigeants du parti adoptent la position suivante : le Canada français nécessite un gouvernement provincial fort et une considération spéciale au sein du Canada; en contrepartie, certaines prérogatives de base doivent demeurer sous la juridiction du gouvernement central au nom de l'intérêt de la fédération canadienne[4].

La position du Conseil fédéral du N.P.D. est rendue publique quelques jours avant le début des travaux du congrès de fondation du N.P.D.-Québec. Quelques 200 délégués y participent. Le congrès ne contredit pas frontalement l'orientation du parti fédéral mais réaffirme l'autonomie du parti provincial qui est en «relation associée» avec le parti fédéral.

De plus, le congrès écarte un document de travail, soumis par Charles Taylor, traitant des relations fédérales-provinciales. En effet, bon nombre de délégués francophones jugent ce document trop fédéraliste et estiment qu'il porte atteinte aux droits du Québec. Ayant fait déposer et renvoyer le texte de Charles Taylor au Conseil provincial, ils demandent qu'il soit réétudié afin de mettre davantage en relief les «droits et privilèges» du Québec.

Par ailleurs, Louis Laberge, président nouvellement élu de la F.T.Q., participe au congrès du N.P.D.-Québec. La délégation de la centrale est composée de cinq représentants : René Rondou, trésorier, Gérard Rancourt, vice-président régional et secrétaire du Conseil du travail de Montréal, Ivan Legault, directeur administratif, et Noël Pérusse, directeur des relations extérieures.

Jean Marchand et P. E. Trudeau y participent également. Jean Marchand y assiste à titre de président de la C.S.N.. À ce titre, il est invité à s'adresser aux délégués. Son discours n'a rien de percutant et n'annonce aucun changement d'attitude de la centrale vis-à-vis du N.P.D.. Quelque temps plus tard, comme on le sait, il quittera la présidence de la C.S.N. et, de concert avec P. E. Trudeau, rejoindra le parti libéral fédéral.

Par contre, l'intervention de Louis Laberge mérite d'être signalée. Dans son discours, le président de la F.T.Q. réprouve les rivalités intersyndicales qui, explique-t-il, réduisent pratiquement le syndicalisme à «l'impuissance politique.» Par conséquent, il se déclare prêt à «négocier la paix» avec l'autre centrale en cause, la C.S.N.. Il demande aux travailleurs de pré-

---

4 *Ibid.*, p. 59.

senter un «front uni» contre les vieux partis et invite la C.S.N. à joindre les rangs.

> Tous les travailleurs, conclut-il, doivent avoir le courage de supporter le seul parti qui vit la démocratie et connaît le mouvement ouvrier lui-même.

Toutefois, les rivalités intersyndicales ne se résorberont pas; le front uni sur le plan politique ne se réalisera pas non plus.

Malgré tout, les membres du N.P.D.-Québec considèrent qu'ils ont un atout majeur en leur faveur. En effet, l'attention du congrès est toute concentrée sur l'élection du nouveau chef, Robert Cliche, vu comme l'instrument de la relance. En mars 1965, le N.P.D.-Québec est désormais officiellement fondé.

Cependant, quelques mois plus tard, d'autres événements surviennent au sein du N.P.D. en rapport avec la question nationale.

Au congrès fédéral du N.P.D. qui se déroule à Toronto du 12 au 15 juillet 1965, l'orientation qui privilégie le renforcement des pouvoirs de l'État central prévaut : «Les droits des provinces, écrit Morton, furent ignorés dans les résolutions qui, sur l'essentiel, demandaient tout le pouvoir à Ottawa»[5].

Puis surviennent les élections fédérales de novembre 1965. Le N.P.D. recueille 17,7% du suffrage populaire à l'échelle canadienne. Au Québec, le N.P.D. parvient à récolter 12% des voix. À Montréal, le vote N.P.D. atteint 18%[6].

2. DE L'EUPHORIE AU RESSAC.

Nombreux sont ceux qui voient dans ces résultats électoraux une indication que la lancée du N.P.D.-Québec est assurée. D'autres événements viennent confirmer cette impression d'un nouveau départ du N.P.D. au Québec.

En juillet 1967, le quatrième congrès fédéral du N.P.D., qui se tient à Toronto, adopte l'idée d'un «statut spécial» pour le Québec. Par ailleurs, de nouvelles personnalités rejoignent Robert Cliche, tel Laurier Lapierre, professeur d'histoire à l'Université McGill et ancien animateur d'une émission télévisée très populaire au réseau anglophone. Enfin, à la veille des élections fédérales de 1968, des dirigeants du N.P.D. ontarien, Stephen Lewis et Gerald Caplan, sont envoyés au Québec pour prêter main forte à l'équipe de Robert Cliche.

---

5 *Ibid.*, p. 61.

6 Le parti se classe deuxième dans 10 des 75 comtés du Québec, dont 8 dans la région de Montréal.

À l'approche du rendez-vous électoral de 1968, les espoirs grandissent dans les rangs du N.P.D. quant à sa capacité de percer enfin au Québec, d'aller au-delà du 12% de voix de 1965, de s'assurer enfin un certain appui de masse.

Mais ces espoirs sont sans lendemain, car le résultat des élections fédérales du 25 juin 1968 démontre que si le vote N.P.D. reste stable à l'échelle du Canada (17%), au Québec il chute fortement, éclipsé par la victoire de P. E. Trudeau qui réussit à coaliser derrière sa candidature les forces et le vote fédéralistes au Québec. Ce n'est donc que 7,3% du vote populaire que le N.P.D. recueille au Québec, une baisse de 5% par rapport au résultat de l'élection précédente. Il retombe ainsi au résultat de 1963.

En dépit du fait qu'il ait lui-même obtenu 11 846 voix dans le comté de Duvernay, soit 2 000 voix de moins que le candidat libéral vainqueur Eric Kierans, Robert Cliche décide de se retirer de la présidence du N.P.D.-Québec. Roland Morin, interprète et ex-syndicaliste, prend la relève et dirige un N.P.D.-Québec minuscule, aux allures de plus en plus anglophones.

Les élections de 1970 ne font rien pour redonner de la vigueur au N.P.D.-Québec qui, tout comme le P.Q., tente pour la première fois sa chance sur la scène provinciale.

Le résultat est désastreux : avec treize candidats concentrés dans la région de Montréal, le parti ne récolte que 4 130 voix, dont 843 dans le seul comté de Notre-Dame-de-Grâces, très majoritairement anglophone. Ce nombre total de voix représente 0,15% du suffrage exprimé. C'est un nouvel échec qu'enregistre le parti, cette fois-ci sur la scène provinciale.

La tentative de relance de 1965, avec Robert Cliche, a donc failli : 1968 et 1970 le confirment. En fait, le résultat de 1965 n'aura été qu'un léger soubresaut, sur la scène fédérale, attribuable en grande partie à la popularité personnelle de Robert Cliche, québécois francophone, qui fait face à Lester B. Pearson. Dès 1968, cette popularité de Robert Cliche ne joue plus face à Pierre Elliott Trudeau. Après le départ de Cliche, c'est l'effondrement aux élections provinciales de 1970.

En attente de développements susceptibles de lui donner un nouveau souffle au Québec, le N.P.D. demeure néanmoins le seul parti fédéral à prendre la défense des droits démocratiques et nationaux du peuple québécois au cours de la crise d'octobre de 1970. Il réprouve la théorie dite «d'insurrection appréhendée» invoquée par le gouvernement Trudeau pour imposer la loi sur les mesures de guerre. Aux Communes, T.C. Douglas et le caucus du parti s'opposent à la loi. Les représentants du N.P.D. dénoncent les arrestations et perquisitions effectuées par les corps policiers tout comme l'occupation du Québec par l'armée canadienne[7].

B. Nouvelles tentatives, nouveaux obstacles

Au début des années 70, le N.P.D.-Québec est en très mauvais état. Dans un rapport soumis à la F.T.Q. en 1972, Émile Boudreau, officier syndical du secteur de la métallurgie à la F.T.Q. et l'un des nombreux fondateurs du N.P.D., fait le diagnostic suivant sur la place qu'occupe le parti au Québec au début des années 70. Sur la scène provinciale, explique-t-il, le N.P.D. est «complètement disparu du portrait»[8]. En effet, le «test» électoral de 1970 ne souffre d'aucune ambiguïté. D'ailleurs, à l'aube de l'année 1971, la plupart des anciennes figures dirigeantes de la période précédente ont quitté les rangs.

Néanmoins en 1971, une nouvelle tentative de reconstruction s'amorce. Elle s'effectue autour du nouveau chef désigné par le congrès du N.P.D.-Québec qui se tient au mois de février de la même année. Il s'agit de Raymond Laliberté, ancien président de la C.E.Q.. Il est secondé par Émile Boudreau qui demeure toujours à l'organisation.

1.   DE LA «THÈSE DES DEUX NATIONS» AU
     DROIT À L'AUTODÉTERMINATION.

Sous l'impulsion de Raymond Laliberté, le congrès du N.P.D.-Québec de février 1971 prend position en faveur du droit du Québec à l'autodétermination. Le congrès décide d'inscrire cette revendication à son propre programme et entend faire reconnaître ce principe au sein du parti fédéral. Les militants du N.P.D.-Québec estiment que, tant et aussi longtemps que cette question ne sera pas réglée au sein du N.P.D., le parti ne pourra se construire au Québec. D'autre part, le congrès se prononce pour la formation «d'une nouvelle alliance entre les deux peuples qui forment le Canada». Dans ce but, il entend amener le «N.P.D.-Canada» à se faire le promoteur de «véritables constituantes populaires au sein du Canada anglophone». Le N.P.D.-Québec s'engage pour sa part à en faire de même au

---

7   Desmond Morton précise que, pendant la crise d'octobre de 1970, quelques dirigeants du N.P.D., dont Frank Scott et Michael Oliver, appuient le gouvernement Trudeau face au Québec, et ce en dépit de l'opposition du N.P.D. fédéral à la loi sur les mesures de guerre.

8   «Rapport sur le N.P.D.-Québec», Émile Boudreau.
    Conseil général de la F.T.Q., 28-29 août 1972. Archives sur le N.P.D., Centre de documentation de la F.T.Q.

Québec, c'est-à-dire à appeler à une assemblée constituante populairo.

Cherchant, avec quelques mois de recul, à préciser l'objectif du congrès de février 1971, Raymond Laliberté expliquera :

> Ce que nous avons tenté de faire en février dernier, tout en demeurant sociaux-démocrates dans nos options sociales et économiques, c'est d'assumer la question nationale, ou si vous aimez mieux, la question québécoise[9].

Mais les décisions du congrès ne s'arrêtent pas là. Consécutivement à l'échec électoral de 1970, le congrès décide — du moins jusqu'à nouvel ordre — de ne plus présenter de candidats aux élections provinciales. Il n'y aura donc pas de candidats du N.P.D.-Québec aux élections de 1973.

Toutefois, sur le moment, la résolution qu'on place en première ligne est celle sur l'autodétermination du peuple québécois. C'est avec cette résolution en poche que la délégation du Québec, dix ans après le débat sur les «deux nations», se présente à Winnipeg au sixième congrès fédéral du N.P.D.. Robert Cliche, ancien président du N.P.D.-Québec, fait partie de cette délégation.

Le congrès se tient du 21 au 25 avril 1971, à Ottawa. En fait, c'est la première fois qu'un congrès du N.P.D. est amené à se prononcer sur le droit à l'autodétermination du peuple québécois en tant que tel. Avant cette date, jamais le N.P.D.-Québec n'est allé jusqu'à soulever ouvertement cette question au sein du parti fédéral. Cette fois-ci, l'affrontement est inévitable.

Les délégués du Québec, dès le début des travaux du congrès, obtiennent un certain nombre d'appuis parmi les autres délégations, dont le *Waffle*, l'aile «radicale» du parti. De son côté, la direction du parti s'oppose fermement à la résolution du N.P.D.-Québec sur l'autodétermination.

Les débats sont tendus dans les ateliers comme en plénière. Un des moments percutants du congrès se produit lorsque Robert Cliche intervient contre la résolution présentée par la direction fédérale. Il s'inscrit en faveur de la motion présentée par la délégation québécoise en ces termes :

> Nous sommes arrivés à la minute de vérité, déclare-t-il. Les conférences constitutionnelles ont toutes abouti à un échec et je reconnais qu'il n'est pas facile de vendre l'idée d'autodé-

---

9 «L'autodétermination des Québécois», Raymond Laliberté, 22 octobre 1971, Archives sur le N.P.D., Centre de documentation de la F.T.Q., Montréal.

termination en Colombie-Britannique, en Ontario, ou dans l'Ouest. Mais ces batailles ont toujours fait la grandeur de notre parti. Et croyez-vous qu'il a été facile à nous, les socialistes du Québec, de garder allumée cette petite flamme de liberté pendant les événements d'octobre et de défendre tout simplement les idées socialistes.

Au terme des délibérations, la résolution sur l'autodétermination est rejetée par le congrès. Elle obtient pourtant l'appui du tiers des délégués (423 voix). Les deux autres tiers du congrès (853 délégués) votent en faveur de la résolution présentée par le comité des résolutions et appuyée par la direction fédérale du parti[10]. Elle est intitulée «Pour un Canada nouveau». Elle appelle à l'élaboration d'une nouvelle constitution au Canada; elle déclare également que le droit des Canadiens de s'interroger sur la Confédération ne peut être nié; qu'il n'y a aucun doute que l'existence du Canada dépend du consentement libre de toute la population; que le Canada ne peut exister par la contrainte et par la force, mais que le rôle du N.P.D. est d'œuvrer en faveur d'un Canada uni.

À la fin du congrès, l'impasse demeure entre la délégation du Québec et les dirigeants du parti. Le congrès constate le maintien de ces divergences et mandate en conséquence le Conseil fédéral du parti pour qu'il mette en place un mécanisme approprié permettant de définir une politique commune dans les meilleurs délais.

Entre-temps, le nouveau leader du parti élu par le congrès, David Lewis, fait part publiquement de la position de la direction fédérale. Cette position est donnée en conférence de presse, dimanche le 25 avril.

> Il n'y aura pas de purge au sein du parti, déclare David Lewis. Mais le N.P.D.-Québec et le groupe *Waffle* devront accepter la politique du parti telle que décidée par le congrès.
>
> J'ai déjà dit aux Québécois qu'il devront suivre la ligne du parti... Le parti ne doit avoir qu'une seule politique. Il ne peut en posséder une pour une province et une autre pour le reste du pays. Les candidats québécois du N.P.D. aux élections fédérales devront appuyer cette politique, autrement il ne pourront être candidats. J'ai exprimé cette position avec encore plus de force à la délégation du Québec.

Comme on peut le constater, «l'autonomie» du N.P.D.-Québec est pour le moins sérieusement mise en cause dans cette déclaration. Enfin, David Lewis dit espérer que le Conseil

---

10 La résolution présentée par le N.P.D.-Q. au congrès est reproduite à l'Annexe 4, page 215.

David Lewis : «J'ai déjà dit aux Québécois de suivre la ligne du parti.»

Raymond Laliberté : «Ce que nous avons tenté de faire, c'est d'assumer la question nationale.»

Roland Morin, président du N.P.D.-Québec en 1970.

Henri-François Gautrin devient président du N.P.D.-Québec en 1973.

Jean-Denis Lavigne, président du N.P.D.-Québec de 1979 à 1983.

fédéral du parti définisse le plus rapidement possible une position de façon à débloquer l'impasse.

Tout compte fait, l'affrontement à ce congrès d'avril 1971 démontre bel et bien que la direction du N.P.D. ne souscrit aucunement à la reconnaissance du droit à l'autodétermination pour le Québec, pas plus qu'elle n'acceptait, dix ans plus tôt, le concept des deux nations. Elle avertit le N.P.D.-Q. qu'elle ne tolérera aucune dérogation de sa part quant à l'option fondamentale du parti en faveur d'un «Canada uni».

À la fin de 1971, le Conseil fédéral crée un comité de vingt personnes chargé d'élaborer une orientation qui, espère-t-on, pourra régler le différend entre le N.P.D.-Q. et la direction fédérale. En conclusion de ses travaux, ce comité soumet à l'approbation du Conseil fédéral et du N.P.D.-Québec, une «Déclaration concernant l'établissement d'un Canada nouveau». Le Conseil fédéral l'adopte d'emblée[11]. Dans le cas du Québec, la «déclaration des vingt» est soumise à l'approbation d'un congrès spécial du N.P.D.-Québec convoqué pour les 22 et 23 octobre 1971.

Le document du comité bénéficie de l'appui de Raymond Laliberté et de l'exécutif du parti. Il conclut par l'appel à *une* Assemblée constituante *canadienne* et non à *des* assemblées constituantes populaires *au Québec* et *dans le reste du Canada,* tel qu'envisagé dans un premier temps par le N.P.D.-Québec. Et bien que le droit à l'autodétermination du peuple québécois ne soit pas reconnu explicitement dans cette «déclaration des vingt» (reproduite ci-après), l'exécutif du N.P.D.-Québec l'interprète comme tel. En effet, la déclaration reprend essentiellement les termes de la résolution du congrès fédéral d'avril. Il y est déclaré : «Nous reconnaissons que ce nouveau Canada n'aura de raison d'être que s'il s'appuie sur un réel vouloir-vivre collectif de ses peuples; qu'il ne peut exister par la contrainte et se maintenir par la force». Il n'y a là rien de nouveau par rapport au débat d'avril; aucune concession n'est réellement faite aux délégués du Québec. Mais, dans un document écrit remis aux participants au congrès spécial du N.P.D.-Québec, Raymond Laliberté interprète ce libellé comme équivalant à la reconnaissance du droit à l'autodétermination. Il explique que «la 'déclaration des vingt' contient l'affirmation du droit à la séparation politique sans usage de la contrainte». Laliberté propose conséquemment son adoption. Sur la base de cette interprétation «souple» faite par l'exécutif, le congrès du N.P.D.-Québec adopte la «déclaration des vingt».

---

11 À sa réunion des 12, 13 et 14 novembre 1971.

DÉCLARATION CONCERNANT L'ÉTABLISSEMENT D'UN NOUVEAU CANADA*

Le Canada glisse vers un éclatement sous son gouvernement Trudeau. La faille s'élargit entre le Canada français et le Canada de langue anglaise et un réel sentiment de frustration profonde croît dans l'ouest du pays. Se volatise un vouloir-vivre collectif, suite au désenchantement qu'entraînent des conférences fédérales - provinciales qui se butent à des détails, alors que les questions fondamentales demeurent non solutionnées : ces négociations sont en outre bien souvent perçues par la plupart des Canadiens comme étant peu intelligibles et du domaine de l'abstrait.

Pendant ce temps, les causes des conflits majeurs s'enveniment. La société québécoise est en ébulition depuis dix ans. Ses citoyens sont à la recherche d'un nouveau modèle qui leur permette d'atteindre un monde meilleur; en quoi ils ne sont pas différents des autres Canadiens. Mais les réponses qu'ils apporteront à cette remise en question leur seront propres et tiendront sans doute au fait que les Québécois constituent la seule société à majorité francophone au sein du continent nord-américain.

En même temps se développe un sentiment d'inéquité face aux services reçus, en beaucoup de régions du pays, en particulier dans les Maritimes et l'Ouest canadien, ainsi que dans les territoires nordiques de plusieurs provinces. À bon droit d'ailleurs, si nous relevons les plus que centenaires disparités d'accès pour les citoyens et de ressources matérielles pour les individus, disparités qui se perpétuent et empoisonnent ce pays.

Le Canada est en outre soumis à de plus en plus fermes tentatives d'assimilation économique et sociale de la part du géant qui vit tout à côté.

Aussi le Nouveau Parti Démocratique propose-t-il aux citoyens vivant au nord des U.S.A. *de bâtir ensemble une nouvelle société et un nouveau pays* qui répondent à leurs besoins, à leur désir de vivre plus pleinement sous plus de justice sociale. Autrement les tendances à l'éclatement auront tôt fait de nous conduire en pâtée vers une annexion économique et une intégration sociale aux U.S.A.

---

* L'italique est de nous.

Mais nous voulons que cette société soit distincte de l'actuelle, qu'elle prenne racine sur la justice et l'égalité, qu'elle situe l'homme au sein de la nature sans détruire cette dernière, qu'elle allie le pouvoir et l'initiative des collectivités naturelles aux structures complexes du monde moderne, qu'elle se dédie enfin à l'obtention d'une justice véritable à travers le monde. C'est pourquoi nos efforts seront orientés vers l'établissement d'un nouveau pays qui se donne une constitution capable de répondre aux nécessités d'un temps nouveau.

Nous reconnaissons que *ce nouveau Canada n'aura de raison d'être que s'il s'appuie sur un réel vouloir-vivre collectif de ses peuples; qu'il ne peut exister par la contrainte et se maintenir par la force.*

Aussi est-il nécessaire de rompre avec les situations qui sont présentement causes de l'éclatement progressif. Il faut que nous mettions fin à ces négociations qui ne réunissent que des ministres et ne traitent que de solution mineures, tout juste capables de nuancer le statu-quo. Ce dont les Canadiens ont un urgent besoin, c'est de définir de nouvelles conditions à leur existence commune, de dessiner de fond en comble une nouvelle constitution qui réponde aux besoins de l'heure et aux attentes concrètes de citoyens en chair et en os.

Nous proposons donc que soit réunie une Constituante, et qu'elle soit formée non pas de ministres, mais de parlementaires de toutes les législatures du Canada. Les délégations devraient comprendre des représentants de tous les partis siégeant au sein de chacun des parlements, de telle sorte que l'on y retrouve les principaux courants de pensée de chaque région canadienne. Cette constituante devrait en outre comprendre des représentants des collectivités amérindiennes du pays, choisis par eux, en la manière qui leur convienne.

L'objectif en serait de préparer *un projet de constitution nouvelle qui serait par la suite soumis aux différentes législatures et aux citoyens eux-mêmes.* Aux fins de réaliser un œuvre complète, la constituante étendrait son travail sur une période suffisamment longue et disposerait de toutes les ressources humaines et techniques qu'elle jugerait essentielles. Son mandat stipulerait qu'elle doive partir de neuf et qu'elle dessine de nouvelles structures, pour un Canada nouveau, qui réponde adéquatement à des besoins nouveaux.

Ainoi, oroit on, à tort, que la question est désormais réglée. Mais ce n'est évidemment pas le cas. L'affrontement reprend en juin 1972 à la veille des élections fédérales.

2.   1972 : NOUVEAU CHOC.

À l'approche des élections fédérales du 30 octobre 1972, le N.P.D.-Québec a préparé son programme intitulé «Il faut prendre le pouvoir partout». Il y a inscrit explicitement la reconnaissance du droit à l'autodétermination. De plus, le programme explique, qu'advenant l'indépendance du Québec, un gouvernement du N.P.D. à Ottawa représenterait le meilleur interlocuteur pour entreprendre avec le Québec le processus de négociation de la séparation et des liens futurs à établir entre le Québec et le reste du Canada.

> Advenant l'indépendance du Québec, précise le programme, un gouvernement socialiste, ou à tout le moins une forte présence néo-démocrate, serait à l'avantage des représentants du Québec qui auraient à négocier les conditions de la séparation. Ici encore, le N.P.D.-Québec est le seul parti fédéral à préconiser, dans l'éventualité où le gouvernement du Québec se verrait confier par le peuple le mandat de réaliser l'indépendance du Québec, la mise en place de mécanismes démocratiques de négociations propres à maintenir les liens les plus étroits possibles entre un Québec indépendant et le reste du Canada. On réunirait ainsi toutes les forces disponibles pour bâtir, au Québec et au Canada, les structures socialistes capables d'instaurer la justice sociale et de repousser la domination étrangère.
>
> Contre la camisole de force constitutionnelle imposée par la Trudeaucratie, c'est donc le libre choix des Québécois que le N.P.D.-Québec entend faire prévaloir[12].

La direction du N.P.D. fédéral intervient aussitôt. Le 26 juin 1972, elle fait part de son désaccord au N.P.D.-Québec et exige le report de la publication du programme. Le N.P.D.-Québec refuse et présente son programme à la presse en dépit de la demande des dirigeants fédéraux; David Lewis répudie alors publiquement le programme québécois du N.P.D.[13]. Par la suite, les pressions se multiplient, et la direction fédérale réussit finalement à faire modifier les passages concernant l'autodétermination du peuple québécois et à soutirer un compromis rapide et acceptable *pour elle* avant les élections.

---

12 Programme du N.P.D.-Québec, 1972.

13 Sur le coup, la direction de la F.T.Q. est également en désaccord avec le libellé du programme. Émile Boudreau démissionne de l'exécutif du N.P.D.-Québec le jour même de la sortie publique du programme en guise de protestation contre la décision de Raymond Laliberté de ne pas obtempérer à la demande venant d'Ottawa.

Les 8 et 9 septembre 1972, un autre congrès spécial du NPD-Québec est convoqué pour régler le litige. Un amendement au programme est préparé par Pierre de Bellefeuille, l'un des cinq vice-présidents du N.P.D.-Québec; cet amendement est issu d'un compromis intervenu entre la direction fédérale et l'exécutif provincial. L'amendement est proposé et entériné par les quelques 150 délégués.

Cet amendement précise que l'indépendance n'est pas l'enjeu de cette élection. Par ailleurs, il ne fait aucunement mention des concepts de «nouveau Canada» ou «nouveau pays» chers à la direction fédérale. Il déclare plutôt :

> Ainsi, dans cet esprit, le N.P.D. propose aux Canadiens de bâtir ensemble une nouvelle société qui réponde à leurs besoins et à leur désir de s'épanouir dans la justice sociale[14].

Il s'agit d'une formule suffisamment vague pour atténuer, du moins pour le moment, les divergences profondes entre l'exécutif du N.P.D.-Québec et la direction fédérale. L'affrontement est donc momentanément écarté. Mais en tout état de cause, la crise de 1972 révèle assez clairement le «degré» d'autonomie que la direction fédérale entend laisser au N.P.D.-Québec. Comme l'a précisé Raymond Laliberté à l'ouverture de ce congrès spécial de septembre 1972, la crise de juin a fait ressortir la question de savoir «si le N.P.D.-Q. a le droit ou non de préparer son propre programme»[15].

Malgré ce sérieux accrochage, Raymond Laliberté demeure à la direction du N.P.D.-Québec jusqu'au début de l'année 1973. C'est alors qu'à la toute veille du congrès de mars 1973, il démissionne de la présidence sur la base d'un bilan des deux années passées à la tête du parti. Il explique les motifs de sa démission à la séance d'ouverture du congrès, le 16 mars 1973[16]. Il fait l'autopsie de la stratégie électorale du 30 octobre 1972, constatant qu'elle a mené à l'échec, au maigre pourcentage du vote québécois recueilli par le N.P.D.-Québec. La stratégie de départ, explique-t-il, avait été de prendre une position claire en faveur du droit à l'autodétermination du Québec. Mais le N.P.D.-Québec s'est révélé «trop autonomiste»

---

14 «Ayant modifié son programme politique, le N.P.D.-Québec fait la paix avec le N.P.D. : M. Lewis se dit satisfait», François Barbeau, *Le Devoir*, 11 septembre 1972.

15 «Laliberté ne demande qu'à mettre le N.P.D.-Q. au service du N.P.D.-Canada», François Barbeau, *Le Devoir*, 9 septembre 1972.

16 Congrès auquel assiste John Harney, député de Scarborough Ouest et «porte-parole» des questions québécoises au caucus N.P.D. à Ottawa.

pour le reste du parti, et les dirigeants fédéraux ont refusé de souscrire à ses prises de positions.

> Retenons, souligne-t-il, que nos stratégies et tactiques ont profondément heurté nos collègues du N.P.D.-Canada, qui se sont ainsi successivement mis sur la défensive, puis portés à l'attaque, sans pour autant que le véritable groupe que nous cherchions à rejoindre, la population votante de langue française du Québec, ait agi autrement qu'en spectatrice, ce qui ne nous a pas permis d'atteindre les objectifs escomptés[17].

Il ajoute que le N.P.D.-Québec n'a jamais été un parti provincial mais la «section québécoise du N.P.D.-Canada».

L'ancien président de la C.E.Q. invite les congressistes à tirer les leçons de cette stratégie qui a échoué. Le N.P.D.-Québec doit démontrer aux Québécois qu'il y a de la place pour eux, et leurs aspirations, ou bien laisser la place au Parti Québécois.

Raymond Laliberté demeurera encore quelques mois au sein de l'exécutif du N.P.D.-Québec en tant que délégué du parti au Conseil fédéral. Il sera aussi candidat aux élections fédérales de juillet 1974 dans le comté de Québec-Est[18].

Son successeur à la présidence, désigné par le congrès, est Henri-François Gautrin, professeur à l'Université de Montréal.

3.   L'INITIATIVE DE 1976.

Les positions du N.P.D. fédéral sur la question du Québec au cours de la période de 1973-1977 vont demeurer pratiquement inchangées, si ce n'est que l'appel à la tenue d'une assemblée constituante *canadienne* va disparaître de l'orientation officielle.

> La société québécoise est en ébullition depuis plusieurs années. Il faut se donner de nouvelles conditions à une existence commune, se dessiner une nouvelle constitution canadienne qui réponde à nos besoins et à nos attentes. Nous reconnaissons qu'un nouveau Canada n'aura de raison d'être que s'il s'appuie sur un réel vouloir-vivre collectif de ses peuples constituants et qu'il ne peut exister par la contrainte et se maintenir par la force[19].

Cette position du congrès fédéral de 1973 sera reproduite dans le programme électoral du N.P.D., en prévision des élections

---

17 «Le N.P.D.-Québec : l'autopsie d'une stratégie qui a échoué», Gérald Leblanc, *Le Devoir*, le 17 mars 1973.

18 En 1972, il était candidat dans le comté de Montréal-Hochelaga.

19 Programme du N.P.D., 1974.

fédérales de 1974. Par ailleurs, en 1975, la question du Québec n'est pas abordée dans les délibérations du congrès fédéral.

Sur le plan strictement électoral, le N.P.D. continue de faire piètre figure au Québec. Les résultats électoraux fédéraux de 1972 et 1974 montrent même un affaiblissement : 6,43% du suffrage exprimé le 30 octobre 1972 (soit 168 910 voix); 6,6% le 8 juillet 1974 (soit 162 080 voix)[20].

À la veille de l'année 1975, le N.P.D. ne regroupe plus au Québec que quelques centaines de membres, dont très peu de militants actifs, et les liens avec le mouvement ouvrier organisé, les syndicats, sont très faibles. Trois syndicats F.T.Q. seulement sont encore affiliés au N.P.D.-Québec, en plus du Conseil du Travail de Montréal[21].

Les 23, 24 et 25 mai 1975, le N.P.D.-Québec, sous la présidence d'Henri-François Gautrin, tient un nouveau congrès. Une centaine de personnes y assistent. Ce qui ressort d'important de ce congrès ne touche pas à la question du Québec; là-dessus, le parti ne remet pas en cause l'orientation passée du parti fondée sur la recherche d'un «Canada nouveau» et réaffirme simplement le droit à la divergence de la section québécoise du N.P.D.. Mais plus importante est la décision du congrès de participer aux élections provinciales à venir au Québec. Le congrès revient donc sur sa décision de 1971.

En septembre 1975, un nouveau congrès est convoqué et consacré à la structuration des activités provinciales en prévision des élections prochaines au Québec.

C'est dans ce contexte, au début de l'année 1976, que le N.P.D.-Québec établit des premiers liens avec le Regroupement des militants syndicaux (R.M.S.)[22]. Le R.M.S. existe depuis 1974. Issu partiellement de la dissolution du Front d'Action Politique (F.R.A.P.), il est constitué de militants syndicaux appartenant aux trois centrales syndicales (F.T.Q.-C.S.N.-C.E.Q.). Ses principes d'action sont de trois ordres : indépendance des organisations syndicales face au patronat et aux gouvernements, unité syndicale, et promotion de la perspective de la création au Québec d'un parti des travailleurs s'appuyant sur les syndicats.

En octobre 1976, à la toute veille des élections, les deux organisations conviennent d'agir ensemble dans le cadre des

---

20 Annexe I, page 205.
21 Il s'agit des locaux : CFAW loc. 405; CFAW loc. 723; CBRT et G.W. loc. 334.
22 Dont les activités cesseront en 1979.

élections sous l'étiquette N.P.D.-R.M.S.; le but promouvoir dans le cadre de ces élections, la perspective d'un parti des travailleurs au Québec.

La coalition lance d'abord un appel aux exécutifs des trois centrales syndicales en faveur de la désignation de candidats du mouvement ouvrier dans les élections. L'appel est ignoré, à la F.T.Q. comme ailleurs. Il est d'ailleurs assez facile de préciser les raisons et les circonstances de ce refus.

En ce mois d'octobre 1976, le Parti Québécois concentre plus que jamais toutes ses forces pour la victoire du 15 novembre. La F.T.Q. est derrière lui; elle appuie officiellement le Parti Québécois en conférence de presse[23] et milite activement en sa faveur. De leur côté, les dirigeants de la C.S.N. et de la C.E.Q. appellent publiquement au renversement du gouvernement Bourassa et, de manière plus ou moins directe, invitent ainsi leurs membres à se ranger derrière le Parti Québécois.

Dans une telle situation, le N.P.D.-Québec et le R.M.S. décident de procéder malgré tout à la présentation d'une vingtaine de candidats dans le but de répercuter publiquement leur objectif. Le programme de la coalition est constitué des principales revendications élaborées par le mouvement ouvrier organisé dans les dernières années, incluant le droit à l'autodétermination du peuple québécois.

Le résultat électoral était prévisible. Face au fort mouvement de masse qui se range derrière le Parti Québécois le 15 novembre 1976, les 21 candidats de la coalition N.P.D.-Québec-R.M.S. ne recueillent que 3 101 voix. Sur ce plan, cette deuxième incursion du N.P.D.-Québec sur la scène provinciale se solde par un nouvel échec.

Quinze ans après sa fondation, le parti est toujours incapable de se construire au Québec.

---

23 Conférence de presse tenue le 26 octobre 1976. La F.T.Q. y affirme que le P.Q. est «la seule formation politique susceptible de remplir notre priorité : débarrasser le Québec d'un gouvernement vendu aux intérêts qui exploitent les travailleurs ... le seul parti susceptible de battre le parti libéral tout en étant le plus proche des intérêts des travailleurs», *Le Devoir*, 27 octobre 1976.

Chapitre 13
DES PAROLES AUX ACTES :
À LA RESCOUSSE DE L'ÉTAT
FÉDÉRAL MENACÉ

L' ÉLECTION du Parti Québécois, le 15 novembre 1976, vient accélérer et approfondir la crise que traversent le Canada et ses institutions. Le peuple du Québec porte en effet au pouvoir un parti qui proclame rejeter le fédéralisme et vouloir réaliser la souveraineté politique du Québec.

Dans les rangs de tous les partis, la question de l'auto-détermination du Québec devient brûlante d'actualité. Au N.P.D., où les débats et les affrontements durent depuis la fondation du parti en 1961, la question devient vitale. Car la position fédéraliste des dirigeants va se manifester dans toute sa dimension et provoquer nombre de déchirements qui vont dépasser les «frontières» du parti.

A. De plein pied dans le camp fédéraliste

Au Conseil fédéral qui suit les élections du 15 novembre 1976, soit en mars 1977, la question du Québec resurgit aussitôt. Le journal *Le Devoir*, dans sa manchette du 19 mars, fait directement allusion à un nouveau rebondissement du débat amorcé en 1961. On peut en effet y lire :

> La thèse des deux nations refait surface : le N.P.D. aux prises avec une vieille querelle.

La «vieille querelle», celle du congrès de fondation, surgit cette fois-ci avec plus d'acuité, dans un contexte de crise politique incomparable par son ampleur avec celui du début des années 60, et avec le constat d'un N.P.D. Québec quasi inexistant.

1. LES DÉBATS.

À compter de ce moment, comme en 1971, deux camps vont s'affronter à plusieurs occasions au sein du parti. D'un côté, les partisans du droit à l'autodétermination pour le peuple du Québec. De l'autre, ceux qui s'opposent à ce droit au nom de la défense de l'unité du Canada et du fédéralisme canadien.

En mars 1977, le Conseil fédéral du parti soulève donc la question sans apporter d'éléments nouveaux. Mais par la suite, les occasions d'affrontement sont nombreuses: congrès du N.P.D. albertain, du 11 au 13 mars 77, où la question du Québec est l'une des questions majeures abordées par les délégués qui se prononcent nettement en faveur du droit à l'autodétermination du Québec; congrès des Jeunesses du N.P.D. de Saskatchewan le même mois, et conférence régionale du N.P.D. du Toronto métropolitain en avril, réunions qui toutes deux reconnaissent le droit du Québec à s'autodéterminer. Au cours de l'année 1977, des appuis similaires sont adoptés dans plusieurs syndicats affiliés au Congrès du travail du Canada et liés au N.P.D.; c'est le cas du Syndicat canadien de la fonction publique et du Syndicat canadien des postiers.

La direction fédérale du parti ne tarde toutefois pas à réagir. Deux congrès majeurs ont lieu en 1977 et 1978 : le congrès fédéral du N.P.D. de juillet 1977, tenu à Winnipeg[1], et le congrès du N.P.D. ontarien de février 1978. Les dirigeants prennent alors l'offensive.

Au congrès de juillet 77, la direction du parti fait battre une résolution exigeant la reconnaissance du droit à l'autodétermination pour le Québec. Cette résolution est battue à forte majorité par le congrès après un court débat en plénière au cours duquel la direction exerce toute la pression nécessaire pour assurer le triomphe de sa position[2].

Une fois la résolution prônant le droit à l'autodétermination écartée, la direction du parti fait entériner sa propre résolution : «*L'option positive pour un Canada uni*». Cette résolution proclame :

> Nous avons une foi *inaltérable* dans le Canada. Le Nouveau Parti Démocratique estime que notre système fédéral de gouvernement peut permettre d'assurer la justice sociale et économique à tous les Canadiens. La crise actuelle n'a pas sa source première dans la constitution. Elle est plutôt le fait des chefs politiques fédéraux qui n'ont pas su répondre aux besoins culturels et économiques de tous les Canadiens. Elle est le fait d'une économie non-planifiée et de ses responsables satisfaits d'eux-mêmes, qui n'ont pas su répondre aux besoins culturels et économiques de tous les Canadiens.

---

1 Congrès auquel nous avons assisté et où il nous a été possible de colliger les informations qui suivent.

2 David Lewis, par exemple, participe à ce débat et fait de violentes attaques contre les délégués qui demandent la reconnaissance du droit à l'autodétermination.

Juillet 1977 : le congrès fédéral du N.P.D. à Winnipeg.

Au Québec, cette crise n'a pas sa source première dans cette
minorité de Québécois voués à l'indépendance pour l'indépendance; elle vient du fait que l'on n'a pas su répondre aux
exigences économiques et culturelles du plus grand nombre qui
désirent rester Canadiens.

Elle se termine par la réaffirmation de la position devenue traditionnelle de la direction :

Que, si le Nouveau Parti Démocratique estime que le peuple
québécois a le droit de faire son choix sans aucune contrainte,
nous appuyons cependant fermement un Canada fédéral et avons
confiance que la majorité des Québécois décidera de demeurer
au sein du Canada.

Que, si le Nouveau Parti Démocratique reconnaît la possibilité
d'apporter quelques modifications à la constitution, nous
estimons cependant essentiel que le Parlement fédéral conserve
suffisamment de pouvoirs pour être en mesure de mener des politiques économiques nationales efficaces en vue d'édifier un
Canada plus libre et plus juste.

Au cours de la discussion sur cette résolution, les dirigeants du
parti se prononcent invariablement en faveur de l'établissement
d'un «Canada fort». Ed Broadbent, chef du parti depuis 1975,
prend bien soin d'expliquer que le libellé de la résolution présentée par la direction du parti ne saurait équivaloir au droit à
l'autodétermination pour le Québec. Il explique alors que bien
que «le peuple québécois a le droit de faire son choix sans
contrainte», il ne saurait être question que le Québec «décide
seul des termes de son indépendance»[3], donc de son avenir.

Comme l'explique la journaliste Lise Bissonnette, le droit à
l'autodétermination n'est pas envisagé[4]; ce qui incite la même
journaliste à conclure :

Le N.P.D. fédéral vient de réaffirmer à Winnipeg sa foi dans un
Canada uni par l'égalité économique et sociale, avec un gouvernement fédéral fort, où le Québec serait appelé à vivre pleinement son nationalisme sans toutefois être plus 'égal' que les
autres composantes de la fédération[5].

Cette résolution que fait voter la direction émane d'un Conseil
fédéral du parti tenu à la toute veille du congrès. Elle n'a pas été
préalablement débattue par les membres du parti. Elle est mise
à l'ordre du jour et adoptée alors que sont écartées de la dis-

---

3   «Le N.P.D. reconnaît au Québec le droit de 'faire son choix'», Lise Bisson-
    nette, *Le Devoir*, 4 juillet 1977.

4   «Les Néo-Démocrates se rallieront facilement à la position Broadbent», Lise
    Bissonnette, *Le Devoir*, 2 juillet 1977.

5   *Le Devoir*, 4 juillet 1977, *op. cit.*.

Ed Broadbent, chef du N.P.D. depuis 1975.

Le chef du N.P.D. en compagnie de Dennis McDermott, président du C.T.C., au congrès de la centrale en 1978.

cussion 30 résolutions traitant des relations fédérales-provinciales qui figurent au cahier des résolutions, et parmi lesquelles
plus de 11 réclament la reconnaissance du droit à l'autodétermination du Québec.

Les mêmes questions qu'au congrès de fondation du parti
sont soulevées dans le débat. Sans reconnaissance intégrale
des droits démocratiques du peuple du Québec par le parti, est-
il possible d'entrevoir la formation d'un gouvernement N.P.D. à
Ottawa? Peut-il y avoir construction du N.P.D. au Québec?

C'est ce dont témoigne une intervention faite en plénière,
au Congrès de Winnipeg, par une déléguée de l'association du
N.P.D. de York East en Ontario, intervention dirigée contre la
résolution présentée par la direction du parti :

> Je veux parler, dit-elle, contre cette résolution. Comme chacun ici,
> je suis déterminée à voir le N.P.D. comme gouvernement à
> Ottawa; mais je suis convaincue que nous ne réussirons pas cela
> tant que nous ne changerons pas notre approche sur la question
> du Québec.
>
> Comme parti socialiste démocratique, notre but est de mener le
> combat pour l'unité des travailleurs du Québec et du Canada. La
> solidarité ne peut être imposée. L'unité doit être basée sur une
> association libre entre gens égaux. Nous devons d'abord prendre
> position pour la reconnaissance que les Québécois ont le droit le
> plus entier de s'autodéterminer, y compris de se séparer. Et nous
> devons dire ouvertement que nous supportons le droit du Québec
> à s'autodéterminer. C'est là la seule base sur laquelle la solidarité
> puisse se construire entre les populations francophones et anglo-
> phones de ce pays.
>
> En fait, cette résolution (celle de la direction) constitue un obstacle
> à la solidarité entre les travailleurs du Québec et du Canada, et
> par conséquent un obstacle à la construction du socialisme dans
> ce pays[6].

Par la suite, la question du Québec rebondit au congrès du
N.P.D. ontarien qui se déroule du 3 au 5 février 1978 à Toronto.
À ce congrès, les délégués des comtés de Nickel Belt et de St.
George demandent, sous forme de proposition, que le N.P.D. reconnaisse au Québec «le droit absolu à l'autodétermination en
tant que nation, jusque et y compris l'indépendance»[7]. Au terme
de la discussion, cette proposition est battue dans une pro-

---

6 Intervention d'Anna-Jean Cresswell, déléguée de l'Association du N.P.D. du
   comté de York East. Intervention transcrite et traduite par nous, d'après la
   version intégrale en anglais. La majorité des interventions en faveur de
   l'autodétermination ont été effectuées par des délégués de Colombie-Britannique, et par des délégués du Québec.

7 *Le Devoir*, 6 février 1978.

portion de deux contre un. Le congrès tranche en faveur de la position du parti fédéral établie quelques mois auparavant à Winnipeg. Néanmoins, plus de 30% des délégués se sont prononcés en faveur de la résolution de Nickel Belt et de St. George; ce qui témoigne à nouveau de l'existence, au sein du parti, d'un fort courant favorable à la reconnaissance du droit à l'autodétermination pour le peuple québécois.

Ed Broadbent, qui est présent à ce congrès du N.P.D.-Ontario, déclare que seuls quelques changements mineurs à la constitution canadienne sont suffisants pour résoudre la crise politique du Canada[8].

La question du Québec devient donc une question explosive dans les rangs du N.P.D. au cours de la période politique que traversent le Québec et le Canada après 1976. La position entretenue par les dirigeants vis-à-vis le Québec menace encore plus sérieusement les quelques espoirs de ce parti au Québec même. Les échéances électorales fédérales se présentent de plus en plus comme des dilemmes politiques insolubles, et menacent même le très faible support électoral que le N.P.D. a au Québec.

L'avertissement de Louis Laberge au congrès de la Fédération des travailleurs du Québec de novembre 1977 est à cet égard très significatif. Il illustre la gravité du problème pour le N.P.D. au Québec. «Le N.P.D., dit-il dans son discours inaugural, se doit de considérer franchement la question nationale des Québécois, s'il veut un appui réel de la part des Québécois et s'implanter ici»[9]. Il poursuit, dans ces termes, sa pensée sur le N.P.D. et la question du Québec.

> Dès son congrès de 1961, la F.T.Q. a décidé d'appuyer activement le N.P.D. comme seul parti lié à la classe ouvrière et préconisant la construction d'un socialisme démocratique. Mais au cours des dernières années, on a assisté à un ramollissement du N.P.D. et à une désaffectation de plus en plus grande des militants syndicaux du Québec à son égard. D'une part, nous avons vu le gouvernement néo-démocrate Barret en Colombie-Britannique briser des grèves comme l'aurait fait un gouvernement libéral, conservateur ou créditiste; nous avons aussi vu les gouvernements néo-démocrates du Manitoba et de la Saskatchewan renier l'appui qu'ils avaient eu de la classe ouvrière et du mouvement syndical, en collaborant sans hésitation avec le gouvernement Trudeau pour l'imposition des mesures de contrôle salarial. Selon moi, des attitudes aussi opportunistes des gou-

---

8 *Ibid.*

9 *La mobilisation toujours nécessaire*, discours inaugural de Louis Laberge, 15e congrès de la F.T.Q., 1977, p. 11.

vernements néo-démocrates de l'Ouest ont grandement contribué
à leur défaite en Colombie-Britannique et au Manitoba.

D'autre part, le N.P.D. fédéral, qui a déjà fait preuve d'une certaine ouverture face à la question nationale au Québec, semble
vouloir s'aligner à quelques nuances près sur le fédéralisme des
libéraux et des conservateurs, de peur, semble-t-il, de perdre des
votes au Canada anglais. C'est là une politique à courte vue de la
part du N.P.D.; les racistes anglophones continueront à voter conservateur ou libéral quoi que fasse le N.P.D.; mais celui-ci sous-
estime la capacité des travailleurs du Canada anglais à comprendre la question du Québec, capacité que viennent de
démontrer les délégués au congrès national du Syndicat canadien
de la fonction publique, qui unanimement se sont engagés à
défendre le droit du Québec à l'autodétermination. Le N.P.D. se
doit de considérer franchement la question nationale des Québécois, s'il veut un appui réel de la part des Québécois et
s'implanter ici.

Que ce soit pour des raisons nationalistes ou pour des objectifs
sociaux et économiques, les travailleurs québécois auraient
intérêt à élire des députés qui représentent véritablement leurs
intérêts au Parlement canadien. Le N.P.D. pourrait offrir cette possibilité s'il acceptait de reconnaître dans les faits la situation particulière du Québec et s'il retrouvait une ferveur socialiste qu'il a
laissé tiédir. C'est à lui d'en décider.

Les dirigeants du N.P.D. vont faire leur choix. Malgré l'appel du
président de la principale centrale syndicale au Québec, ils ne
modifieront pas d'un iota leur position sur le Québec. Plus, ils
vont s'engager de plein pied dans le camp fédéraliste.

2.   LA COALITION PRO-CANADA.

En décembre 1977, le N.P.D. décide d'emboîter le pas à la
coalition Pro-Canada qui est constituée dans le but de promouvoir la défense du fédéralisme canadien et d'amasser quelques millions de dollars en prévision du référendum de mai 1980
au Québec. Le parti s'associe aux toutes premières activités de
la coalition dont le «symposium sur la consultation populaire»
qui se tient dans la ville de Québec du 1 au 3 décembre 1977. Ce
«symposium» donne le coup d'envoi au «Comité Pro-Canada»[10].
Du «Comité» à la «Fondation» Pro-Canada qui lui succède en
mars 1978, le N.P.D. maintient son adhésion à ce regroupement

---

10 Y sont présents : Henri-François Gautrin du N.P.D.-Québec et Lorne Nystrom
   pour la direction fédérale. Le Comité Pro-Canada est alors formé des organismes et partis suivants : Impact-Québec, Québec-Canada, Décision-
   Canada, Comité d'Action Positive, Rallye-Canada, Engagement Canadien,
   Conseil pour l'Unité Canadienne, le parti libéral du Québec, l'Union nationale,
   le Ralliement créditiste du Québec, le Parti national populaire, le parti libéral
   du Canada, le Parti progressiste-conservateur, et enfin le N.P.D..

supporté par le patronat et les grandes corporations canadiennes que, quelques années auparavant, David Lewis qua-
lifiait de «Corporate welfare bums»[11].

De plus, en février 1979, de concert avec les libéraux, le
caucus du N.P.D. à la Chambre des communes vote en faveur
du projet de loi C-9 déposé par le gouvernement Trudeau. Ce
projet de loi vise à permettre au gouvernement fédéral de
recourir, le cas échéant, à un référendum «canadien» en matière
constitutionnelle. Ce projet de loi fait resurgir le spectre du
plébiscite de 1942 en donnant une arme de réserve au gouvernement fédéral face à d'éventuels résultats «menaçants» du
référendum québécois. Aussitôt adopté en deuxième lecture en
février 1979, le projet de loi C-9 est dénoncé à l'unanimité par
l'Assemblée nationale du Québec[12]. Cherchant à justifier
l'appui de leur parti au projet de loi en question, les dirigeants
du N.P.D. déclarent s'être rangés du côté du gouvernement
pour qu'Ottawa puisse se munir d'une loi lui permettant de tenir
un référendum face à la «menace québécoise»[13].

Au cours de la campagne référendaire de 1980, dans la
continuité de Pro-Canada, le N.P.D. appuie le *Comité des
Québécois pour le Non* dirigé par Claude Ryan et Jean Chrétien.
Comme eux, le 20 mai 1980, Ed Broadbent se réjouit des
résultats du référendum.

Le N.P.D.-Québec, quant à lui, choisit l'autre option. Le 20
mai, il appelle à voter OUI à la question référendaire. Mais
compte tenu de sa faible implantation, son appel a peu d'influence.

B. Le *coup de force constitutionnel* de 1981

La politique pratiquée par la direction fédérale du N.P.D. depuis
1961 prend finalement toute sa signification dans l'appui qu'elle
accorde à ce qu'il est convenu d'appeler le *coup de force constitutionnel* du gouvernement Trudeau en 1981.

Cette «canadianisation» des Actes de l'Amérique du Nord
Britannique, auxquels s'ajoutent une «Charte des droits et

---

11 Pour un aperçu des sommes versées par ces grandes corporations, voir le
tableau dressé par P. Drouilly et R. Barberis dans *Les illusions du pouvoir*,
Montréal, Select, 1981, pp. 232 et 233.

12 Ce projet de loi ne peut franchir l'étape de la troisième lecture compte tenu
des élections fédérales de mai 79 qui entraînent la défaite du gouvernement
Trudeau. Un seul député du N.P.D. vote contre le projet de loi; il s'agit d'Ar-
nold Peters.

13 «Les Communes adoptent le projet de loi sur le référendum», *Le Devoir*, 2
février 1979.

libertés» et une nouvelle formule d'amendement à la constitution, a des conséquences tres nombreuses et importantes
pour le Québec. Ainsi, la «Charte» préserve les Actes de 1867,
dont la monarchie; elle renforce les prérogatives de l'État
central, tout en limitant celles du Québec, particulièrement dans
le domaine de l'éducation, du travail, ainsi que dans le domaine
linguistique. En l'occurence, elle frappe de plein fouet la loi 101.
De plus, elle garde le silence sur nombre de libertés (droit de
pétition, droits des femmes, droit de grève...); elle ne reconnaît
nullement le droit à l'autodétermination du peuple québécois et
des peuples autochtones. Sans compter que l'application des
droits et libertés énumérés dans la «Charte» est soumise à de
multiples réserves et restrictions : l'article premier permet aux
autorités de la restreindre dans des limites jugées «rai-
sonnables»; les pouvoirs d'urgence du gouvernement fédéral
sont maintenus (art. 91 — «Paix, ordre et bon gouvernement»)
dont la loi sur les mesures de guerre; l'article 33, dit «nonobs-
tant», permet aux divers gouvernements provinciaux de se soustraire à l'application de plusieurs droits et libertés fondamentales[14].

Enfin, la nouvelle loi constitutionnelle introduit une
nouvelle formule d'amendement qui prive le Québec de tout
droit de veto, et en fait une province «comme les autres».

Le N.P.D., par la voix de son chef, Ed Broadbent, se fait
donc l'ardent défenseur du projet constitutionnel du gouvernement Trudeau. Ayant affirmé son accord de principe au
projet dès l'automne 1980, il déclare aux Communes le 5 février
1981 :

> Nous aurons probablement la meilleure charte des droits de
> l'hémisphère occidental, une formule d'amendement souhai-
> table ... une constitution que la grande majorité des citoyens
> endossent avec fierté[15].

Le N.P.D. va même jusqu'à déléguer à Londres le secrétaire du
parti, Robin Sears, pour présenter la position du parti au caucus
du parti travailliste à la Chambre des communes[16].

---

14 Le gouvernement Lévesque, après avoir dénoncé le *coup de force*, sera le
premier gouvernement provincial à utiliser cette clause contre les enseignants en grève à l'hiver 1982. La loi 111, dans son libellé, permet aux
autorités de se soustraire au principe de la présomption d'innocence. La loi
111 introduit le principe inverse, la présomption de culpabilité pour tous les
enseignants poursuivis ou victimes de sanctions en vertu de la loi.

15 «Broadbent réitère son appui inconditionnel à Trudeau», *La Presse*, 6 février
1981.

16 «Un émissaire du N.P.D. à Londres», *La Presse*, 4 mars 1981.

À terme, les députés du N.P.D. à Ottawa, à l'exception de deux dissidences[17], votent en faveur de la nouvelle loi constitutionnelle du gouvernement Trudeau. Ils le font en dépit de l'opposition du Québec, des minorités françaises hors du Québec, des peuples autochtones et des organisations de défense des droits des femmes. Ce vote a lieu le 2 décembre 1981.

Après le vote, le chef du N.P.D. note que le Québec n'a pas ratifié cette nouvelle loi. Il affirme alors :

> Tous ceux d'entre nous qui sommes engagés en politique fédérale avons un autre pas à accomplir, soit de parler directement à la population du Québec pour lui prouver que le fédéralisme peut fonctionner[18].

Voilà donc, en résumé, le chemin suivi par les dirigeants du N.P.D. sur la question du Québec de 1977 à 1982, date d'entrée en vigueur de la nouvelle loi constitutionnelle.

Les trois congrès fédéraux du parti qui se succèdent de 1979 à 1983 s'inscrivent tout à fait dans la voie définie par les dirigeants, malgré certaines oppositions manifestées çà et là.

Au congrès de novembre 1979, à Toronto, en dépit de l'opposition d'une partie des délégués, la résolution, pilotée par les dirigeants, est adoptée par le congrès. Elle reprend à quelques mots près la formule de 1977. Il y est stipulé que «le peuple du Québec a le droit de faire son choix librement et sans coercition», mais aussi que le N.P.D. «exhorte le Québec à appuyer une fédération canadienne renouvelée vouée à l'égalité culturelle et économique».

Le congrès de 1981, qui se tient du 2 au 5 juillet à Vancouver, est plus tumultueux. À cette occasion, les hautes instances du parti parviennent difficilement à masquer les divergences et à maintenir l'ordre dans les rangs du parti. Un bon nombre de propositions s'insurgent contre l'orientation de la direction sur la nouvelle loi constitutionnelle proposée par le gouvernement fédéral. Parmi ces voix discordantes, on retrouve John Harney, principal porte-parole des opposants, John Rodriguez, syndicaliste et ancien député à la Chambre des communes[19], et enfin Jean-Denis Lavigne, président du N.P.D.-Québec depuis 1979.

---

17 Svend Robinson et Jim Manly.

18 «Les Communes adoptent la résolution constitutionnelle par 246 voix à 24», *La Presse*, 3 décembre 1981.

19 John Rodriguez a été député du comté de Nickel Belt (Ontario, région de Sudbury) de 1972 à 1980. Battu aux élections de 1980 par Judy Erola, il était réélu le 4 septembre 1984.

De façon à contenir l'insatisfaction qui se manifeste à ce moment-là, l'exécutif fait adopter une proposition «de compromis». Cette proposition réitère sur l'essentiel l'orientation de la direction. Elle permet aux dirigeants de continuer à soutenir le projet Trudeau si la Cour suprême, dont le jugement est attendu, donne sa consécration légale au *coup de force constitutionnel*. Dans le cas contraire, la position du parti serait de réclamer de nouvelles négociations entre Ottawa et les provinces de façon à dégager l'accord d'une majorité d'entre elles. Au terme des débats, cette proposition réussit à rallier le vote de soixante pour cent (60%) des quelques 1 200 délégués. Mais quarante pour cent (40%) votent contre.

Quoi qu'il en soit, la Cour suprême ne déclare pas «légalement» anticonstitutionnel le projet Trudeau. Et les dirigeants du N.P.D. ne retirent pas leur appui à la nouvelle loi.

En juillet 1983, une fois le *coup de force constitutionnel* passé, les positions de 1977 et 1979 sont tout simplement réaffirmées par le congrès fédéral tenu à Régina. La résolution adoptée sur le Québec est ainsi libellée :

> Si le N.P.D. affirme le droit des Québécois de déterminer librement leur propre avenir, nous espérons que dans l'exercice de leurs droits démocratiques, ils ne choisiront pas l'indépendance, car nous croyons fermement que les aspirations des Québécois et de tous les canadiens-français peuvent être réalisées dans une nouvelle union canadienne[20].

---

20 *Globe and Mail*, 4 juillet 1983.

Chapitre 14
LE N.P.D.-QUÉBEC DE 1976 À 1985 : DE L'ENLISEMENT À LA TENTATIVE DE JOHN HARNEY

L ES positions que le N.P.D. exprime sur la question du Québec de 1976 à 1983 ne sont que la manifestation concrète, mais à un niveau sans précédent, d'une politique menée depuis 1961. Cela a comme conséquence directe l'échec répété du N.P.D.-Québec dans sa tentative de s'enraciner. Et peu à peu, ce parti s'enlise dans ce que les dirigeants du Québec qualifient eux-mêmes de «traversée du désert»[1].

A. Le N.P.D.-Québec, incapable de s'enraciner

Après 1976, les activités du parti au Québec se réduisent à leur plus simple expression. «L'organisation de notre parti au Québec n'est pas exactement parfaite» affirme Ed Broadbent au début de l'année 1977. Euphémisme ou formule polie pour traduire une dure réalité? Quoi qu'il en soit, en 1977, le Québec est bel et bien devenu un talon d'Achille pour le parti.

1. LE PIÉTINEMENT.

À la veille des élections fédérales partielles prévues dans cinq comtés du Québec au printemps 1977, le Conseil fédéral octroie une somme de 15 000 $ pour appuyer une «solide campagne», en particulier dans le comté de Verdun, où Philip Edmunston, directeur de l'Association de protection des automobilistes (A.P.A.) est candidat N.P.D.. Dans cette élection, Philip Edmunston permet au parti de réaliser une meilleure performance qu'à l'ordinaire[2]. Mais le score électoral du N.P.D. ne

---

1 «Le N.P.D.-Québec, un talon d'Achille», Lise Bissonnette, *Le Devoir*, 21 mars 1977.

2 Edmunston se classe deuxième. Il récolte 8 150 voix contre 15 158 pour le candidat libéral gagnant, *Le Devoir*, 26 mai 1977.

s'améliore que dans le comté de Verdun où le parti quadruple ses appuis. Dans les autres comtés, le N.P.D. connaît une chute de son support électoral. Ce sursaut passager dans le comté de Verdun ne permet pas de modifier le cours fondamental des choses pour le N.P.D.-Québec. Mais il nourrit encore une fois quelques espoirs au sein du parti, particulièrement à Ottawa.

C'est ainsi qu'en plus d'un nouvel appui financier, le parti fédéral désigne un organisateur permanent, Denis Faubert. Il est redevable aux autorités fédérales et non au N.P.D.-Québec. S'appuyant sur ces données, Ed Broadbent laisse entendre que le N.P.D. se dirige vers des gains appréciables dans la «belle province» lors des élections fédérales à venir. À l'occasion d'une soirée organisée le 3 avril 1978 par l'association du N.P.D.-Québec de la région de Hull, le chef fédéral déclare :

> Nous sommes confiants d'aller chercher une dizaine de comtés au Québec. Nous ne présenterons pas de candidats prestigieux mais des gens impliqués dans leur milieu et qui sont respectés par leurs concitoyens[3].

À cette même occasion, le nouvel organisateur en chef au Québec dit croire que le parti est capable de recueillir 15% du vote et la victoire dans deux comtés. «Toute la clientèle progressiste du P.Q. nous appartient, déclare-t-il, ce qui nous aidera à améliorer notre représentativité au Québec»[4].

Sur cette lancée, le N.P.D.-Québec met en branle un programme d'organisation en vue des prochaines élections fédérales. En octobre 1978, il lance deux campagnes : recrutement et financement. Compte tenu de l'état dans lequel se trouve le parti, les objectifs sont ambitieux : d'octobre 1978 à février 1979, échéance fixée pour l'atteinte des objectifs, les organisateurs comptent amasser pas moins de 100 000 $ et recruter 1 000 membres. Ils espèrent également remettre sur pied 50 associations de comtés. Tout cet effort doit être comptabilisé lors d'un congrès du N.P.D.-Québec en mars 1979.

Les résultats étaient prévisibles. Le congrès a bel et bien lieu les 16, 17 et 18 mars 1979, mais aucun des objectifs n'est atteint. La campagne financière n'a pas fonctionné et le parti ne compte toujours que 200 à 300 membres. Le parti ne réunit que 3 à 4 associations de comté qui sont regroupées dans la partie ouest de Montréal; de plus à peine 10 des quelques 63 délégués

---

3   «Lors des prochaines élections fédérales, le N.P.D. compte aller chercher une dizaine de comtés», Régis Bouchard, *Le Droit*, 4 avril 1978.

4   *Ibid.*

au congrès ont été élus par leur propre association locale. Les autres ont été tout simplement nommés d'office par le Conseil provincial. Enfin, les syndicats sont complètement absents[5].

Le N.P.D.-Québec demeure petit, très petit. Néanmoins, les délibérations du congrès méritent d'être soulignées. Le congrès vote en faveur de la reconnaissance du droit à l'auto-détermination du Québec. Il dénonce le projet de loi C-9 introduisant le recours au référendum canadien, et exige que les représentants du N.P.D. se retirent de la coalition Pro-Canada. Toutefois, ces résolutions n'arrêtent pas la démarche des dirigeants fédéraux sur la question constitutionnelle. Le dernier jour du congrès, les délégués accueillent le président de la F.T.Q., Louis Laberge. Dans son intervention, le président de la centrale exprime son désaccord avec les positions constitutionnelles exprimées par Ed Broadbent. Il rappelle également son désaccord avec la décision prise par le N.P.D.-Québec, en 1976, de présenter des candidats aux élections provinciales; action malvenue, explique Louis Laberge, plutôt que de laisser les membres voter «pour un bon gouvernement». Enfin, le président de la F.T.Q. promet un appui de la centrale au N.P.D. pour les prochaines élections fédérales[6]. Au terme de ses travaux, le congrès désigne à la présidence du parti, Jean-Denis Lavigne, président du Syndicat des enseignants des Bois-Francs (C.E.Q.). Henri-François Gautrin quitte ainsi la direction. Mais il quitte également les rangs du N.P.D.-Québec puisqu'il rejoint quelque temps plus tard le Parti libéral du Québec dont il sera l'un des candidats lors des élections de 1981.

2. J.-D. LAVIGNE : UNE DÉMISSION RÉVÉLATRICE.

Ainsi, aux élections fédérales du 22 mai 1979, le N.P.D. bénificie de l'appui de la F.T.Q., même si cet appui est timide. Sur les 75 candidats présentés au Québec, 21 proviennent de syndicats F.T.Q.. L'appui de la F.T.Q. au N.P.D. est publié dans les deux numéros du *Monde Ouvrier* des mois d'avril et mai 1979. Dans le numéro d'avril, Louis Laberge explique les raisons de l'appel de la centrale :

> La F.T.Q. ne se contente pas de dénoncer le gouvernement libéral. Elle invite les travailleurs québécois à exercer le seul choix

---

5 Données fournies par Luc Bégin, membre de l'exécutif du N.P.D.-Québec en 1979.

6 «Déchiré, le N.P.D.-Québec renonce au débat», Rodolphe Morissette, *Le Devoir*, 19 mars 1979. Cet appui ne sera pas renouvelé en février 1980. Les relations entre le N.P.D. et la F.T.Q. vont se détériorer davantage à la veille du référendum québécois.

possible dans les circonstances actuelles, soit celui de voter pour les candidats du N.P.D

Ce qui est clair, c'est qu'un gouvernement conservateur se révélerait tout aussi important et irresponsable que le gouvernement libéral actuel. Même si nous avons de fortes réserves à propos de l'approche qu'a le N.P.D. sur la question du Québec, nous devons reconnaître que sur le plan fédéral, c'est le seul parti qui propose des solutions réelles aux principaux problèmes économiques et sociaux qui assaillent les travailleurs.

Le 22 mai, la performance du N.P.D. n'est pas meilleure pour autant. Le parti recueille 17,9% des voix au plan canadien[7] mais seulement 5,1% au Québec (163 492 voix), le pourcentage le plus bas obtenu dans la province depuis 1962 à l'occasion d'une élection fédérale. Aux élections de l'année suivante, le 18 février 1980, le parti améliore quelque peu sa performance : 19,77% des voix au plan canadien[8] et 9,07% au Québec (268 409 voix). Cependant rien ne permet au parti, pas plus qu'hier, d'entrevoir un avenir meilleur. Les prises de position de la direction fédérale sur la question du Québec et les événements qui se déroulent dans la période 1982-83 n'arrangent nullement les choses pour le N.P.D. au Québec.

En novembre 1982, Denis Faubert démissionne de ses fonctions d'organisateur en chef au Québec. Quelques mois plus tard, c'est au tour de Jean-Denis Lavigne. La démission du président du N.P.D.-Québec survient en février 1983 et procède de désaccords croissants vis-à-vis de la politique des hautes instances du parti, notamment sur la question du Québec. Au moment de sa démission, le chef du N.P.D.-Québec qualifie «d'auto-destructrice» la mentalité de ceux qui demeurent en poste au sein du N.P.D. et empêchent le parti d'adopter des politiques véritablement québécoises[9]. Il voit un lien commun entre les échecs successifs du N.P.D.-Québec et les démissions qui se suivent depuis des années :

> Chaque président essaie, bénévolement et sans grands moyens, de relever le parti. Et puis chacun se heurte à la mentalité de club privé qui anime trop de membres, qui, a-t-on l'impression, ne veulent pas s'ouvrir à l'extérieur.
>
> Si quelqu'un adopte des positions nationalistes, on dira tout de suite qu'il est péquiste. S'il veut rendre le parti plus socialiste, on le traitera vite de marxiste-léniniste ou de trotskyste[10].

---

7   et 26 sièges.

8   et 32 sièges.

9   «Le N.P.D. ne veut plus rien dire au Québec», Pierre Vennat, *La Presse*, le 17 mars 1983.

10 *Ibid.*

Le départ de Jean-Denis Lavigne est suivi, trois mois plus tard, de la démission de quatre autres membres de l'exécutif du N.P.D.-Québec. Les membres démissionnaires soulignent l'incompréhension du secrétariat fédéral du parti à l'égard du Québec. «Votre incompréhension du Québec bloque toute percée du parti parmi les francophones de notre province», déclarent deux d'entre eux, François Martin et Serge Durocher, respectivement secrétaire et trésorier du N.P.D.-Québec. Cette déclaration de rupture est effectuée sur la forme d'une lettre envoyée au secrétaire fédéral du parti en poste, Gerald Caplan[11].

Commentant plus tard cette démission de Jean-Denis Lavigne et de son équipe, Ed Broadbent dira : «il est frustrant d'être le leader d'un parti qui progresse peu». Ces démissions successives et l'obstacle que rencontre le N.P.D. au Québec, ajoute le chef du parti, s'expliqueraient par «l'éternel dilemme» chez plusieurs Québécois de gauche entre l'engouement pour la social-démocratie et l'engouement pour l'indépendantisme, dilemme «que les Québécois ont à régler entre eux»[12]. Les très grandes difficultés de développement du N.P.D.-Québec seraient ainsi uniquement attribuables, selon Ed Broadbent, aux dissensions entre Québécois et non à la politique de la direction fédérale du parti sur la question du Québec.

Au printemps de l'année 1983, le N.P.D.-Québec se retrouve dans une situation de désorganisation encore plus avancée que par le passé. C'est un véritable enlisement, puisque de mai 1983 à mars 1984, le N.P.D.-Québec se retrouve sans président, sans direction.

B. John Harney : une nouvelle tentative de relancer le N.P.D.-Québec

Suite à la période que nous venons de décrire, le N.P.D.-Québec amorce péniblement l'année 1984, demeurant toujours à la recherche d'un élément stimulateur qui serait en mesure de lui donner un nouveau souffle.

En mars 1984, une lueur d'espoir semble se dessiner pour le parti. John Harney, professeur à l'Université York, accepte de tenter de relancer le parti au Québec, et est ainsi désigné à la présidence.

---

11 «Quatre membres de l'exécutif québécois du N.P.D. démissionnent», *La Presse*, 7 mai 1983.

12 «Broadbent explique son dilemme à La Presse : tant que les socio-démocrates hésiteront entre l'indépendantisme et le fédéralisme, le N.P.D. sera faible», Pierre Vennat, *La Presse*, 17 mars 1984.

Originaire de la ville de Lévis, John Harney n'en est pas à ses premières armes au sein du N.P.D.. Militant de longue date, il a tout d'abord été élu député de Scarborough West aux Communes à l'occasion des élections fédérales de 1972. Il siège comme député jusqu'en 1974, ne parvenant pas à faire renouveler son mandat lors des élections du 8 juillet. Au cours des années 70, John Harney a également l'occasion d'occuper la fonction de secrétaire du N.P.D.-Ontario. À l'échelon fédéral du parti, il est candidat à la direction, d'abord contre David Lewis en 1971, puis contre Ed Broadbent en 1975. Enfin, au congrès fédéral de juillet 1981, il est candidat à la présidence du parti. Il est battu par une centaine de voix. Au cours de ce congrès, il reproche notamment à la direction du parti d'avoir tourné le dos aux droits linguistiques des franco-ontariens et aux droits des Québécois.

1.   L'OBJECTIF DE JOHN HARNEY.

Dès sa prise en charge du N.P.D.-Québec, John Harney affirme ne pas accepter la loi constitutionnelle de 1981, le Québec en étant exclu[13]. Il se dit conscient que le vote social-démocrate boude sa formation à cause de l'attitude du N.P.D. dans le débat constitutionnel :

> Cela me chagrine beaucoup, déclare-t-il. Ce n'est pas un problème facile à résoudre. Le N.P.D.-Québec est profondément en désaccord avec l'attitude d'Ed Broadbent dans le processus de rapatriement de la constitution. Nous refusons de considérer comme légitime la constitution canadienne[14].

Le nouveau président ne cache donc pas ses divergences avec les dirigeants fédéraux du parti. Ils n'ont jamais compris, dit-il, la situation particulière de la province française, et ils y ont ainsi freiné l'implantation du parti[15]. Mais le N.P.D.-Québec, explique-t-il, demeure le «fiduciaire d'idées importantes : la social-démocratie d'abord, mais aussi, quand on pense aux débuts du parti, le concept de deux nations».

Son but : relancer le N.P.D.-Québec. «Ça fait depuis 1972 que le parti n'a pas fait de véritable effort au Québec», explique-t-il[16]. Affirmant avoir toujours combattu pour la cause fran-

---

13 «John Harney : le N.P.D. doit être à l'écoute de la communauté», *La Presse*, 19 mars 1984.

14 «Le chef du N.P.D.-Québec candidat dans Lévis», *La Presse,* 18 juillet 1984.

15 «Harney prédit que le N.P.D. fera une percée au Québec», Louis Falardeau, *La Presse,* 15 août 1984.

16 «John Harney : le N.P.D. doit être à l'écoute de la communauté», *op. cit.*.

*John Harney à la présidence du
N.P.D.-Québec depuis mars 1984. Son
but : relancer le parti.*

Le congrès du N.P.D.-Québec des 30 et 31 mars 1985.

cophone au sein du parti, il tient à ne pas être perçu comme un «missionnaire du N.P.D. fédéral» :

> J'ai assez d'expérience en politique, ajoute-t-il, pour savoir qu'on n'importe pas une organisation de l'extérieur. Je veux faire au Québec un travail à la base. Depuis mon élection à la direction du N.P.D.-Québec, les gens disent qu'ils sont heureux de voir que nous repartons enfin sur de nouvelles bases[17].

Ce nouveau démarrage, affirme-t-il, exige un travail direct au sein de la communauté et une intervention à partir des préoccupations concrètes des Québécois que sont, par exemple, les problèmes de chômage et de création d'emplois.

2.   LES ÉLECTIONS DU 4 SEPTEMBRE 1984.

Le premier enjeu auquel a à faire face John Harney, c'est le rendez-vous électoral du 4 septembre 1984.

Au printemps, à l'appel de son président Dennis McDermott, le congrès du C.T.C. décide de renouveler son appui au N.P.D.. Au cours du congrès, le président de la F.T.Q., Louis Laberge, déclare que sa centrale ne lancerait pas d'appel à voter en faveur du N.P.D. au Québec, les relations avec le parti étant relativement «froides» suite au référendum de 1980[18]. Mais à l'approche du rendez-vous électoral, la F.T.Q. nuance sa position. À la suite d'une réunion spéciale de son Conseil général, elle décide d'accorder un appui discret au N.P.D.. La F.T.Q. appelle à se débarrasser des libéraux à Ottawa. Le secrétaire général de la Fédération, Fernand Daoust, déclare :

> Les travailleurs et travailleuses d'ici ont été doublement victimes du régime en place à Ottawa. À titre de Québécois et de Québécoises, ils ont vu leur identité nationale battue en brèche par un gouvernement méprisant et centralisateur; à titre de salariés, c'est leur gagne-pain qui a été mis en cause par des politiques économiques désastreuses[19].

La direction de la F.T.Q. dit qu'elle endosse les politiques économiques et sociales du N.P.D.. Mais en même temps, elle réitère son désaccord avec les positions constitutionnelles défendues par le parti. La centrale explique également que son appel au vote N.P.D. ne s'accompagnera pas d'une mobilisation générale de l'organisation en faveur de ce parti.

---

17 «Le défi de John Harney au N.P.D.-Québec», Jacques Bouchard, *La Presse*, 29 mars 1984.

18 «Broadbent : Que les riches paient leur part», Pierre Vennat, *La Presse*, 30 mai 1984.

19 «La F.T.Q. accorde son appui au N.P.D.», Guy Taillefer, *Le Devoir*, 18 août 1984.

Se prononçant pour le N.P.D., Louis Laberge et Fernand Daoust dénoncent tout autant les conservateurs que les libéraux, les qualifiant de «frères siamois». «Voter pour les conservateurs, précise Louis Laberge, ce serait voter pour les frères siamois des libéraux»[20].

Cette déclaration, il faut le noter, contraste étonnamment avec ce que le président de la F.T.Q. va dire après les élections, à l'occasion de la visite du premier ministre Brian Mulroney au siège de la centrale à Montréal. À la veille de cette rencontre du 14 janvier 1985, Louis Laberge dira ressentir plus d'affinités avec le point de vue de Brian Mulroney sur la question nationale qu'avec le N.P.D.. Il évoquera les différends avec le N.P.D. sur la question constitutionnelle, y compris avec le N.P.D.-Québec dirigé par John Harney. «Selon moi, dira-t-il, le N.P.D. ne peut nous (la F.T.Q.) convaincre». Selon Louis Laberge, Ed Broadbent «a manqué une occasion en or de demeurer hors du débat» au moment du référendum de 1980. «Le N.P.D. devrait préciser sa position sur la question nationale». Et il ajoute que «Mulroney est plus ouvert face au Québec» que le N.P.D.[21]. Ces propos du président de la F.T.Q. contredisent sa prise de position pré-électorale. Ils laissent également dans l'ombre la position des conservateurs et de leur chef qui, après le 4 septembre, veulent intégrer le Québec à la loi constitutionnelle de 1981. De la même façon, il n'est pas mentionné que Brian Mulroney, président de l'Iron Ore, était un supporter de Pro-Canada, du NON au référendum, et partisan avoué de la loi constitutionnelle de 1981.

Toutefois, au moment des élections, le N.P.D.-Québec va bénéficier de l'appui de la F.T.Q., même si cet appui n'est que verbal. Quant à la C.S.N., elle garde sa position de «neutralité». Gérald Larose explique la position de la centrale syndicale en conférence de presse le 30 août 1984. Disant comprendre «la colère des gens contre un gouvernement ayant fait preuve d'arrogance (le gouvernement Trudeau), le président de la C.S.N. explique que la centrale n'appuie aucun parti politique dans la campagne électorale, les partis se révélant un «désert d'idées» et un «chicot d'imagination»[22].

C'est dans ce contexte que le N.P.D. effectue sa campagne électorale au Québec. Dès le début de la campagne,

20 «Du bout des lèvres, la F.T.Q. appuie le N.P.D.», *La Presse*, 18 août 1984.

21 «Le président de la F.T.Q. donne sa faveur au chef conservateur», *La Presse*, 14 janvier 1985.

22 «Entre la 'faillite et le syndic Mulroney', la C.S.N. n'a pas de préférence», Marianne Favreau, *La Presse*, 31 août 1984.

le président du N P D -Québec précise les objectifs de son parti : tirer profit du mouvement d'insatisfaction manifesté contre le gouvernement libéral fédéral et ainsi recueillir pas moins de 20% du vote populaire[23].

> Même sous Robert Cliche, explique John Harney, le N.P.D. n'a jamais fait d'efforts comme cette année au Québec. Plutôt que de nous concentrer sur certaines régions comme l'ouest de Montréal, nous avons cherché à nous implanter solidement partout. Et le succès est remarquable.
>
> Nous avons réussi à présenter des candidats dans toutes les circonscriptions. Et seulement une demi douzaine sont des «parachutés». Et encore, ces «parachutés» ont des racines dans les régions où ils se présentent. Alors qu'auparavant, c'était la grande majorité de nos candidats qui venaient de l'extérieur et certains n'avaient jamais mis les pieds dans leur circonscription[24].

Avec un budget de 150 000 $, les dirigeants du N.P.D.-Québec évoquent même l'espoir de faire élire de trois à quatre candidats.

Mais les résultats du 4 septembre sont loin de répondre aux attentes. En nombre absolu de voix, le vote N.P.D. augmente; il passe à 301 447 voix alors qu'il était de 268 409 voix en 1980. Ce fait sera d'ailleurs mis en évidence par John Harney. Toutefois, sur le plan du pourcentage de voix obtenues, il s'agit d'un léger mouvement à la baisse : le parti obtient 8,77% contre 9,07% en 1980.

Encore une fois, et même si le vent d'insatisfaction qui soufflait sur le Québec pouvait offrir une ouverture indéniable, le N.P.D.-Québec s'est avéré incapable de faire une percée chez l'électorat québécois.

Constatant les résultats, John Harney affirme quand même ne pas désespérer; il considère ... «pas si mal la performance du N.P.D.-Québec»[25]. Lui-même a recueilli plus de 20% des voix dans le comté de Lévis et le parti, rapporte-t-il, a accru son membership : plus de 3 000 membres au cours de la campagne[26]. Il ajoute enfin : «cette campagne de 84 nous a permis de découvrir une plus grande ouverture des Québécois envers notre parti».

---

23 «Le N.P.D.-Québec veut tirer profit d'une chute des Libéraux», André Noël, *La Presse*, 13 août 1984.

24 «Harney prédit que le N.P.D. fera une percée au Québec», Louis Falardeau, *La Presse,* 15 août 1984.

25 «John Harney affirme que le N.P.D. n'a rien perdu», Robert Lévesque, *La Presse*, 5 septembre 1984.

26 Ces chiffres seront ramenés à 1 400 en octobre 1984. *Le Devoir,* 15 octobre 1984.

3. UN RETOUR SUR LA SCÈNE ÉLECTORALE QUÉBÉCOISE?

Le samedi 13 octobre 1984, le N.P.D.-Québec, en Conseil provincial, décide de convoquer un congrès spécial en vue des élections provinciales qui se profilent. Ce congrès, précise la motion adoptée, devra «décider de la participation du N.P.D.-Québec à la politique électorale du Québec pour fin d'élire des députés à l'Assemblée nationale du Québec».

Cette décision traduit l'optimisme du chef du N.P.D.-Québec.

> Nous avons effectué une percée dans la pensée des Québécois.
>
> Lors de notre participation aux élections fédérales, beaucoup de gens ont découvert qu'ils étaient sociaux-démocrates[27].

Le vote du 4 septembre 1984 a permis de maintenir les positions du N.P.D. au Canada anglais malgré la victoire de Brian Mulroney. Mais au Québec, ce vote n'a pas traduit une allégeance plus importante que par le passé envers le N.P.D. Pourtant, John Harney indique clairement par ses interventions qu'il est prêt à ce que le N.P.D.-Québec refasse le saut sur le terrain des élections provinciales. «Si le Conseil est prêt à se lancer, on se lancera», affirme-t-il. Il déclare par ailleurs être convaincu que la conjoncture est favorable à l'émergence d'un véritable parti de gauche «socialiste démocratique»[28] au Québec.

Cette perspective de retour sur la scène provinciale est entérinée par le Conseil fédéral du N.P.D. les 27 et 28 octobre 1984. La stratégie est simple; du moins dans sa présentation. Elle prend pour point de départ la présomption selon laquelle la désaffection d'une masse de Québécois et de Québécoises à l'égard du Parti Québécois signifie le rejet chez eux de l'indépendance au profit du fédéralisme. Le chef néo-démocrate, Ed Broadbent, en déduit que désormais les chances sont du côté du N.P.D.-Québec. Les Québécois «songent moins à l'indépendance qu'il y a quelques années... Selon moi, ceux d'entre nous qui croient en un Canada social-démocrate et fédéraliste disposent ainsi de meilleures chances au Québec»[29]. «Les possibilités sont là», d'expliquer Broadbent. Si les Québécois n'ont pas adhéré massivement au N.P.D. c'est entre autres,

---

27 «Le N.P.D. n'a pas abandonné l'idée de se lancer sur la scène provinciale éventuellement», Marie Tison, *Le Devoir*, 15 octobre 1984.

28 «John Harney souhaite une présence 'socialiste' sur la scène québécoise», Pierre Vennat, *La Presse,* 15 octobre 1984.

29 «Le N.P.D. courtisera les péquistes déçus», *Le Devoir*, 29 octobre 1984.

estime-t-il, parce qu'ils n'ont pas eu l'occasion de connaître les
positions du parti.

Nous ne sommes pas les premiers au Québec, mais nous allons
faire les efforts pour y arriver[30].

Sur cette voie, le Conseil d'octobre 1984 crée un comité pari-
taire composé de 10 personnes dont cinq du Québec et cinq du
N.P.D. fédéral. Coprésidé par Ed Broadbent et John Harney, il
est chargé de développer la stratégie de façon à assurer l'élargissement des assises du N.P.D. au Québec. Les premières
échéances sont fixées : le congrès spécial du N.P.D.-Québec
des 30 et 31 mars, suivi d'un nouveau Conseil fédéral en avril
1985, prévu à Montréal, pour la première fois en dix ans.

---

30 «Un Conseil fédéral du N.P.D. en avril à Montréal», J.-P. Décarie, *Le Journal
de Montréal*, 2 février 1985.

Chapitre 15
LA SITUATION POLITIQUE AU QUÉBEC EN 1985 ET LE CONGRÈS DU N.P.D.-QUÉBEC DES 30 ET 31 MARS

AU début de 1985, alors que le gouvernement Lévesque arrive au terme de son deuxième mandat, les dirigeants du N.P.D., à Ottawa comme au Québec, envisagent très sérieusement un retour du N.P.D.-Québec sur la scène électorale provinciale. Ils misent, comme ils l'affirment eux-mêmes, sur des signes de désaffection à l'égard du gouvernement Lévesque et du Parti Québécois pour tenter, après 25 années d'efforts infructueux, de faire une percée.

A. Les grands traits de la situation politique en 1985

Le Parti Québécois et son gouvernement se retrouvent, au début de 1985, quatre années après leur réélection, dans une situation très difficile, et l'un et l'autre sont passablement ébranlés. Toute une série d'événements explique que ce large parti de masse soit devenu, en 1985, un parti réduit et déchiré, et que le gouvernement Lévesque ne semble plus jouir d'un fort support électoral chez les travailleurs, les travailleuses et dans la jeunesse. Il importe tout au moins de rappeler certains de ces événements.

Sur le plan social comme sur le plan économique, la période qui commence avec la réélection de 1981, est marquée par des coupures massives dans les budgets de la santé et de l'éducation[1], et conséquemment par une diminution des services offerts à la population. Ces coupures provoquent, en 1982-83, un affrontement très dur avec les employés syndiqués des secteurs public et parapublic. L'imposition, par le gouvernement Lévesque, d'une panoplie de lois spéciales et de décrets,

---

1. Dans la seule année 1981-82, par exemple, c'est environ un milliard de dollars qui est prélevé dans les secteurs public et parapublic.

amène, en décembre 1982, près de 60 000 manifestants devant l'Assemblée nationale; ce qui ne s'est pas vu depuis 1969, date du «Bill 63». Par ailleurs, s'ajoute, au fil des années, une série de fermetures d'usines et de villes[2], quand ce ne sont pas, dans le secteur privé, des relations patronales-ouvrières très tendues[3]. Hausses des taxes[4], chômage massif, particulièrement dans la jeunesse, autant d'autres réalités qui, depuis 1981, grugent l'appui de masse dont bénéficiait le gouvernement Lévesque et minent la vie même du Parti Québécois.

La situation n'est pas plus reluisante sur le terrain de la lutte pour les aspirations nationales du peuple québécois, dont se réclame le Parti Québécois depuis 1968. Rappelons quelques éléments clés de cette situation.

Au cours de l'année 1981, le *coup de force constitutionnel* du gouvernement Trudeau ne rencontre pas la riposte escomptée de la part du gouvernement du Québec. À part une pétition symbolique, pourtant signée par près de 800 000 personnes, aucune mobilisation populaire n'est organisée. Le gouvernement Lévesque, le ministre Claude Morin en tête, préfère la stratégie de négociation et de contestation juridique devant les tribunaux. Le gouvernement préconise la formation d'un «front des huit», c'est-à-dire un front avec les autres provinces chez lesquelles il croit déceler une volonté d'opposition au geste d'Ottawa. Mais à terme, le 5 novembre 1981, la nouvelle loi constitutionnelle obtient l'assentiment de neuf gouvernements provinciaux sur dix. Le gouvernement Lévesque se retrouve ainsi isolé et, pour lui, c'est l'échec total.

Devant ce résultat, contre la stratégie du gouvernement qui a mené à l'échec, l'aspiration à la souveraineté du Québec s'exprime aussitôt dans les rangs du Parti Québécois. Au VIIIe congrès tenu en décembre 1981, les militants décident de rayer du programme la référence ferme à l'association avec le reste du Canada et d'engager le parti sur le terrain de la lutte pour la seule souveraineté du Québec. Il est aussi décidé à ce congrès que le processus d'accession à la souveraineté doit être déclenché dès la prise du pouvoir, qu'il y ait ou non l'obtention d'une majorité absolue des voix exprimées lors de l'élection.

Mais le chef du parti, René Lévesque, s'oppose aux résolutions votées. À la fin du congrès, il menace de démissionner de

---

2. Dont Port-Cartier, Schefferville, Gagnon, etc..

3. Comme c'est le cas à Marine Industrie en 1984-85.

4. Dont la taxe «ascenseur» sur l'essence, les taxes sur l'alcool et les cigarettes, etc..

son poste si cette nouvelle orientation n'est pas abandonnée. Dans la foulée de ces événements, il invite même les mécontents à quitter les rangs du parti et à fonder leur propre organisation. Au cours des semaines qui suivent, René Lévesque obtient de l'exécutif national qu'un «référendum» soit organisé auprès des membres du Parti Québécois de façon à réviser les décisions prises par le congrès. Le «référendum» a lieu et les résolutions du congrès sont rejetées.

La position du gouvernement l'emporte donc et une «nouveau» VIIIe congrès est convoqué en février 1982. Ce congrès avalise les résultats du «référendum». La «souveraineté-association» est réaffirmée.

Ainsi, après le *coup de force constitutionnel* du gouvernement Trudeau, René Lévesque y va de son propre *coup de force* contre les militants de son parti.

Le congrès du P.Q. de juin 1984 parvient à replacer la souveraineté au centre du programme en prévision des élections générales. La résolution adoptée par le congrès précise qu'un vote pour les candidats du Parti Québécois signifiera un vote pour la souveraineté du Québec.

Mais cette initiative reste sans lendemain. Car, à l'automne 1984, avec l'appui de la majorité de l'exécutif et du Conseil national, René Lévesque décide d'écarter la souveraineté de la campagne électorale qui vient. Cette décision est entérinée par un nouveau congrès en janvier 1985. À la lutte pour la souveraineté du Québec, le gouvernement Lévesque oppose la stratégie du «beau risque» avec le gouvernement conservateur de Brian Mulroney.

Au sein du Parti Québécois, ces *coups de force* de René Lévesque, combinés à l'action de son gouvernement sur le plan social et économique, provoquent de sérieux déchirements et d'innombrables départs. De 1981 à 1985, le nombre de membres du parti passe de 300 000 à quelques 80 000, et le caucus du parti s'effrite avec les départs de Pierre de Bellefeuille, Jérôme Proulx et Denis Vaugeois qui, de son côté, abandonne également son siège de député. La crise enfin s'étend jusqu'au Conseil des ministres que quittent Jacques Léonard, Denise Leblanc-Bantey, Gilbert Paquette et Louise Harel, pendant que Jacques Parizeau, Camille Laurin et Denis Lazure démissionnent à la fois de leurs postes de ministres et de députés.

Au début de 1985, le Parti Québécois offre l'image d'un parti déserté par le gros de ses troupes. Quant au gouvernement Lévesque, ses appuis dans la population chutent brutale-

ment à compter de 1982. C'est ce que révèlent tous les sondages d'opinion publique, et ce que confirment notamment
deux élections partielles, celles de Jonquière et de Saint-
Jacques, deux châteaux forts du P.Q.. Dans Jonquière, en
décembre 1983, le vote péquiste s'effondre littéralement; la majorité de 12,000 voix obtenue en avril 1981 disparaît, et les
libéraux l'emportent avec une majorité de 1 273 voix. Dans
Saint-Jacques, en novembre 1984, le Parti libéral triple sa majorité obtenue lors du scrutin partiel de juin 1983, alors que les
libéraux y avaient remporté leur première victoire depuis 1970.
Même si le gouvernement Lévesque n'a jamais gagné une seule
élection partielle, les résultats dans ces deux comtés servent de
«baromètre» et illustrent le recul que prend l'électorat face au
parti et son gouvernement.

Chute de popularité, départ d'un nombre imposant de
membres, désaffection progressive et marquée de la population
à l'égard du Parti Québécois et du gouvernement Lévesque :
voilà qui laisse espérer aux dirigeants du N.P.D. qu'il y a maintenant de la place pour ce parti sur la scène du Québec. Mais ils
ne sont pas les seuls à vouloir occuper cette place.

B. Un processus de rupture vis-à-vis du Parti Québécois est amorcé

Les événements survenus depuis 1981 engendrent peu à peu
un processus de rupture vis-à-vis du Parti Québécois, et donc la
recherche d'une nouvelle alternative politique face au Parti
Québécois et au parti libéral à la fois. Comme en 1957-58, la
question d'un «troisième parti» est posée. Mais désormais, elle
refait surface sur la base de l'expérience du Parti Québécois.

I. DU M.S. AU R.D.I..

En octobre 1981, est créé le Mouvement Socialiste. L'initiative
de sa fondation appartient à un certain nombre de personnalités, dont Marcel Pepin, ancien président de la C.S.N., et
Raymond Laliberté, ancien président de la C.E.Q. et du
N.P.D.-Québec. Ce Mouvement entend lutter dans le but de
bâtir un «Québec socialiste, indépendant, démocratique et pour
l'égalité entre les hommes et les femmes». Le Mouvement
Socialiste regroupe quelques centaines de membres et n'est
pas directement lié au mouvement syndical.

À son congrès de décembre 1984, le M.S. décide de
s'engager sur la voie de l'action politique électorale. Le congrès
convient de travailler à la fondation d'un parti à plus ou moins
brève échéance. Dans cet objectif, il envisage la formation

d'une coalition. Mais, dans l'éventualité où elle ne se réaliserait pas, le M.S., précise le congrès, serait appelé dans un court laps de temps à se transformer lui-même en parti.

John Harney assiste aux délibérations de ce congrès. Sur le moment, l'idée d'une coalition avec le Mouvement Socialiste ne semble guère l'enchanter. Le M.S. se veut indépendantiste. Or, le N.P.D.-Québec, affirme-t-il, se déclare fédéraliste. Et s'il n'y a place que pour une des deux formations, ajoute-t-il, ce sera le N.P.D.-Québec[5]. Ainsi, l'unité d'action, du moins à cette étape, n'est pas envisagée.

Par ailleurs, la brisure au sein du Parti Québécois et de sa députation mène à la fondation du Rassemblement démocratique pour l'indépendance (R.D.I.). Le R.D.I. tient un congrès de fondation le 30 mars 1985. Quelques 600 personnes y participent, pour la plupart d'anciens membres du Parti Québécois.

Cependant, à cette occasion, le R.D.I. ne se déclare pas un parti distinct du P.Q.. Il déclare ne pas être prêt à poser ce geste dans les circonstances. Comme le soulignent les observateurs, le R.D.I. demeure fortement tributaire de l'orientation politique du Parti Québécois, et le congrès traduit une hésitation à rompre totalement les ponts avec celui-ci[6].

2. LE DÉBAT POLITIQUE DANS LES SYNDICATS.

Au sein du mouvement syndical, des signes d'opposition au gouvernement Lévesque et au Parti Québécois se manifestent de plus en plus. Dans cette foulée, la question de l'action politique resurgit.

Ainsi, le débat au sujet de l'organisation politique indépendante des travailleurs refait surface au congrès spécial d'orientation de la C.S.N. qui se tient en même temps que le congrès du R.D.I. et que celui du N.P.D.-Québec.

La question revient dans un contexte que les dirigeants syndicaux eux-mêmes qualifient de «vide politique». De nombreux délégués et des syndicats, dont la Fédération nationale des communications et le Conseil central de Montréal, soulèvent la nécessité d'un débat sur l'organisation politique des travailleurs, et souhaitent l'engagement de la centrale sur le terrain de l'action politique.

5. «John Harney souhaite une présence 'socialiste' sur la scène québécoise», Pierre Vennat, *La Presse,* 1er octobre 1984.

6. «Le R.D.I. hésite à consommer la rupture avec le P.Q.», Pierre O'Neill, *Le Devoir,* 1 avril 1985.

> Ça fait assez longtemps qu'on se fait organiser politiquement, declare un délégué; il est grand temps qu'on s'organise politiquement. Il faut entreprendre le débat sur l'organisation politique et nos rapports avec les organisations politiques, réfléchir sur l'ensemble de l'action politique de la C.S.N.. Il est impossible de réaliser nos objectifs sans changer les politiques anti-sociales du gouvernement[7].

Mais les dirigeants réussissent à contenir les aspirations d'une partie du congrès.

Déjà, quelques jours avant ce congrès, le journaliste Gilles Pilon du *Journal de Montréal* rend compte de propos significatifs du président de la centrale, Gérald Larose, sur la question de la formation éventuelle d'un parti politique des travailleurs.

> On n'a pas ce mandat-là, déclare-t-il. Ce n'est pas pour qu'on crée un parti politique que les gens paient leurs cotisations syndicales. L'organisation politique sera plus efficace si elle n'émane pas du mouvement syndical[8].

Au cours du congrès, les dirigeants invoquent, comme par le passé, les statuts de la centrale qui stipulent que la C.S.N. doit demeurer indépendante de tout parti politique. Finalement, la résolution adoptée réaffirme cette «continuité historique de la C.S.N.» (héritée de la C.T.C.C.) et renvoie le débat sur l'action politique au congrès de 1986. Gérald Larose se dit heureux des conclusions du congrès de la centrale, une «C.S.N. qui a retrouvé une certaine assurance et aussi une patience dans l'action».

Mais cette irruption spontanée d'une bonne part du congrès en faveur d'une action politique indépendante indique qu'un processus de rupture face au P.Q. s'est amorcé à la base même des syndicats affiliés à la centrale.

Quant à la C.E.Q., sa position publique n'a pas encore changé, bien que les enseignants soient manifestement en rupture avec ce gouvernement. Sa direction conserve une attitude comparable à celle de la C.S.N.. Invité au congrès du N.P.D-Québec des 30 et 31 mars 1985, Raymond Johnston rappelle aux délégués participants la position de la C.E.Q. favorisant «l'indépendance complète des organisations syndicales face aux organisations politiques». Par ailleurs, il y fait part des intentions de la centrale d'assurer une présence plus active sur le plan politique.

---

7. «La CSN réfléchira à nouveau sur son action politique», Lisa Binsse, *La Presse*, 1er avril 1985.

8. «À la veille du congrès d'orientation de la C.S.N., le pessimisme prévaut», par Gilles Pilon, *Le Journal de Montréal,* 22 mars 1985.

Reste la F.T.Q.

Sur le plan fédéral, nous avons déjà vu la prise de position de la centrale avant et après les élections du 4 septembre 1984.

Sur le terrain proprement québécois, il est intéressant de noter l'évolution des propos et des gestes de la direction face au Parti Québécois.

Le 1 mai 1983, alors que des pans entiers du mouvement syndical subissent les contrecoups des décrets du secteur public, le président de la F.T.Q. est interrogé par Rodolphe Morissette du journal *Le Devoir* sur l'action politique de la centrale. À propos du Parti Québécois et de son gouvernement, Louis Laberge déclare :

> Pour nos membres, c'est vrai, le gouvernement Lévesque a aujourd'hui toute une côte à remonter. Assurément, on a des reproches précis à faire à ce parti et à certains de ses membres. On le fera à la veille des élections générales. La F.T.Q. va définitivement prendre parti au plan politique à la veille des élections. Aucun doute là-dessus.
>
> Le P.Q., ajoute-t-il, saura prendre un nouveau virage pour remonter la pente. Entre-temps, le gouvernement peut passer de bonnes lois. À la F.T.Q., on ne fera rien sur un coup de tête. On veut plutôt laisser d'abord retomber la poussière[9].

Interrogé sur la fondation éventuelle d'un troisième parti au Québec, il écarte cette option en lui opposant celle du *Fonds de Solidarité* :

> Ça, c'est bien plus révolutionnaire qu'une nouvelle formation politique. Ca prend bien moins de temps à mettre sur pied et ç'a un impact beaucoup plus important !

À propos du N.P.D. au Québec, il déclare sans ambages.

> T'as beau fouetter une vieille picouille.. Dieu sait si on a mis des énergies dans ce parti ! Ça donne rien : on y met le Québec dans le même moule que les autres provinces.

À cette occasion, Louis Laberge précise que des partis fédéraux et de leurs dirigeants, c'est Joe Clark qui «a la position la plus acceptable pour le Québec».

Au congrès de décembre 1983, l'option du *Fonds de Solidarité,* appuyée par le gouvernement Lévesque, est adoptée. Mais les critiques des délégués face au Parti Québécois sont nombreuses. Le président de la F.T.Q. nuance alors les propos tenus en mai 1983. Il déclare :

---

9. «Les chefs des trois centrales répondent aux questions du Devoir», Rodolphe Morissette, *Le Devoir*, 30 avril 1983.

Et le moins qu'on fera, lors des prochaines élections, c'est de battre certains ministres dans leurs comtés.

D'ici là, le Parti Québécois «va peut-être se réveiller et réaliser que les mamours qu'il fait au patronat ne lui apporteront pas de vote»[10].

Enfin, au début de l'année 1985, le ton change entre la F.T.Q. et le gouvernement Lévesque. Face au projet gouvernemental de refonte du régime des négociations dans le secteur public, la F.T.Q. s'engage dans la «Coalition pour le droit de négocier». Cette coalition regroupe l'ensemble des organisations syndicales des secteurs public et parapublic qui se sont unies contre le projet. Ce geste de la F.T.Q., sur le terrain de l'unité syndicale, largement compromise de 1976 à 1985, traduit un changement d'attitude. La coalition marque un pas vers une possible réconciliation intersyndicale contre le gouvernement.

En résumé, à la veille du congrès du N.P.D.-Québec des 30 et 31 mars, des signes de rupture face au gouvernement se dessinent au sein de la F.T.Q.. L'insatisfaction monte dans les rangs de la centrale, plus particulièrement depuis 1982-1983, et les dirigeants doivent en tenir compte.

C. Le congrès du N.P.D.-Québec

C'est dans ce contexte d'ensemble que s'ouvre le congrès spécial du N.P.D.-Québec, les 30 et 31 mars 1985. Ce congrès doit décider si, à nouveau, le parti va se lancer ou non dans l'arène provinciale.

L'ouverture qu'offre la conjoncture politique générale au Québec joue, à cette occasion, en faveur du N.P.D.-Québec. Elle lui permet de s'assurer d'une participation relativement forte au congrès. Il y a longtemps que le N.P.D.-Québec n'a pas réuni autant de personnes dans l'enceinte d'un congrès plénier. Quelques 250 personnes sont présentes, dont environ 175 délégués officiels, élus par les différentes associations de comtés. Au moment du congrès, le N.P.D.-Québec dit compter quelques 1 600 membres et être présent dans près d'une quarantaine de comtés.

À l'ouverture du congrès, parmi les orateurs invités, Marcel Pepin, président du Mouvement Socialiste, est appelé à s'adresser aux délégués.

Dans son intervention, Marcel Pepin souligne que le M.S. et le N.P.D.-Québec ont des divergences mais qu'ils ont aussi

---

10. «L'appui de la FTQ est loin d'être acquis au P.Q.», *La Presse*, Lisa Binsse, 10 décembre 1983.

des convergences. Les liens ont été amorcés entre les deux organisations, explique-t-il. En fait foi l'invitation faite à John Harney de participer au congrès du M.S. en décembre 1984. Mais plus concrètement, le M.S. et le N.P.D.-Québec, annonce Marcel Pepin, ont convenu de créer un «comité de liaison» composé de trois membres de chacune des deux organisations. Le but de ce comité est d'examiner le «chemin que les deux organisations peuvent parcourir ensemble». Il est aussi de réaliser des actions conjointes sur des questions ponctuelles. Une première manifestation concrète de cette action, précise-t-il, a été la jonction des deux organisations dans la création d'une «Coalition pour la représentation proportionnelle».

Cette initiative N.P.D.-Québec-M.S. marque évidemment un pas en avant sur le plan de l'action commune. Il s'agit d'un pas par rapport à décembre 1984. Comme l'explique John Harney en conférence de presse[11], les deux organisations «n'ont plus peur l'une de l'autre». Mais en date du congrès du N.P.D.-Québec, il n'est pas du tout question de fusion. Il est même encore trop tôt pour parler de coalition électorale.

1. LA «QUESTION».

En ce qui regarde les travaux du congrès, une bonne part d'entre eux est consacrée à la refonte des structures sur une base transitoire, à l'organisation et aux finances du parti. À ce chapitre, le N.P.D.-Québec annonce le lancement d'une campagne financière avec un objectif de 300 000 $. Un «club des 100» sera formé à cette fin; chaque adhérent au club devra recueillir la somme de 3 000 $ avant le 1 mai 1985 de façon à atteindre l'objectif. Le slogan de la campagne : «mettre sur pied un parti politique de la gauche démocratique au Québec». De là ce que les dirigeants appellent «la question», et qui va être le seul débat vraiment animé du congrès :

> Désirez-vous que soit créé au Québec un Nouveau Parti Démocratique provincial, fondé sur les principes de la social-démocratie;
>
> et êtes-vous disposé à confier aux officiers actuels du N.P.D.-Québec le mandat, à titre de conseil d'administration provisoire du Nouveau Parti Démocratique, de prendre les mesures qui s'imposent à cette fin?

Le congrès, par 158 voix contre 17, vote en faveur de la résolution. Aux cris de «On y va», le congrès décide ainsi d'engager le parti sur la scène provinciale. Il fixe à septembre 1985 (ou plus

---

11. «M.S. et N.P.D. semblent vouloir se rapprocher», Pierre Vennat, *La Presse*, 31 mars 1985.

tôt si nécessaire) la convocation d'un congrès de fondation du «nouveau» N.P.D.-Québec, qui lui devra trancher sur d'éven tuelles candidatures aux élections québécoises et sur le programme du parti.

2. L'APPEL À L'ASSEMBLÉE CONSTITUANTE DU QUÉBEC.

D'ici là, les dirigeants invitent les délégués à adopter une «Déclaration de principes».

Cette déclaration est présentée comme un énoncé de l'orientation politique générale du N.P.D.-Québec. Elle aborde déverses questions : libertés fondamentales, armement nucléaire, entreprises étrangères, mouvements coopératif, accès à la syndicalisation etc... Elle conclue enfin sur la question nationale. La déclaration appelle à enchâsser les droits du peuple québécois.

> ... dans une constitution québécoise qui sera proposée par une assemblée constituante et entérinée par le seul peuple québécois.
>
> Avec sa propre constitution, le Québec pourra forger avec le reste du Canada une nouvelle association politique. C'est ainsi que l'union canadienne deviendra une véritable confédération.

Ainsi, pour une deuxième fois dans son histoire, le N.P.D.-Québec fait sien l'appel à la convocation d'une assemblée constituante au Québec. Raymond Laliberté appelait à la convocation d'une «assemblée constituante populaire» en 1971. John Harney reprend essentiellement le même appel en 1985.

Il est à noter que les trois centrales syndicales québécoises F.T.Q.-C.S.N.-C.E.Q. ont, depuis 1982, une position commune sur cette question. Après l'imposition de la loi constitutionnelle de 1981, elles ont appelé à ce que le peuple québécois se dote de sa propre constitution. Le 15 avril 1982, à deux jours de la promulgation par la Reine du Canada de la nouvelle loi constitutionnelle, elles émettaient une déclaration commune en ces termes :

> Au moment où le gouvernement fédéral veut faire croire au peuple québécois qu'il a enfin une constitution, nous tenons à réaffirmer solennellement que cette constitution n'est pas, ne peut pas être et ne sera jamais notre constitution.
>
> Nous réaffirmons que le processus constitutionnel doit sortir du huis-clos qui a si bien servi les intérêts du fédéral; nous croyons qu'ils faut remettre ce débat sur la place publique québécoise afin que nous nous donnions notre propre constitution; nous sommes convaincus que cette démarche démocratique serait la meilleure réponse collective à apporter dans les circonstances actuelles.

Sur le chemin de la démocratie et de l'exercice de la souveraineté par le peuple québécois, l'appel à ce que le peuple québécois définisse lui-même son avenir, sa propre constitution, par une assemblée constituante, est la seule position démocratique. Elle dépasse la reconnaissance du «droit» à l'autodétermination. Cette revendication exprime la voie de l'autodétermination et de la souveraineté «pratique» telle que l'ont réalisée les républiques démocratiques dans l'histoire[12].

La déclaration de principes adoptée par le congrès du N.P.D.-Québec marque un pas dans ce sens. Mais, en contrepartie, elle n'appelle pas au rejet des lois constitutionnelles en vigueur au Canada, la loi de 1867 et la «Canada Bill» de 1981. La déclaration évite de se prononcer et, par le fait même, laisse une question décisive en suspens. Car sans le rejet de ces lois constitutionnelles qui sanctionnent l'oppression nationale et assujettissent le Québec, le caractère *souverain* de l'Assemblée constituante, qui est l'élection au suffrage universel de délégués chargés de rédiger et de proposer une constitution, n'est-il pas largement entamé, pour ne pas dire tout simplement évacué?

Le N.P.D.-Québec, déclare John Harney aux journalistes, n'a jamais accepté la position du N.P.D. qui a dit oui au Canada Bill[13].

Mais il n'y a là aucune mention directe d'un rejet public de cette loi par le N.P.D.-Québec.

Chose certaine, la déclaration de principes ne parle ni des lois constitutionnelles en vigueur, ni d'une position achevée du N.P.D.-Québec à leur égard.

Quant au parti fédéral, sa position est connue : il demeure partisan du fédéralisme et de la loi constitutionnelle de 1981, position qu'il n'a jamais amendée de 1981 à 1985.

Par conséquent, les discussions futures, comme par le passé, vont inévitablement se concentrer sur cette question qui recouvre les droits nationaux et souverains du peuple québécois et rend compte de l'impasse dans laquelle se trouve le parti au Québec depuis 25 années.

C'est sur ce congrès de mars 1985 que prend fin une première année d'efforts de John Harney et de la direction fédérale pour relancer le N.P.D. sur la scène québécoise.

---

12. L'Assemblée constituante était d'ailleurs inscrite au programme du Parti Québécois jusqu'en 1979, date où elle fut rayée du programme à la faveur de la négociation de la «souveraineté-association» avec Ottawa.

13. «Le N.P.D. favorise un concept différent du P.Q.. Un Québec économiquement souverain associé politiquement au reste du Canada», Pierre Vennat, *La Presse*, 1 avril 1985.

En septembre 1985, le N.P.D.-Québec s'apprête à s'engager, pour une troisième fois depuis sa fondation, dans la bataille des élections provinciales. Il compte capitaliser sur l'insatisfaction manifestée à l'égard du P.Q. chez les travailleurs, les travailleuses et la jeunesse du Québec.

L'insatisfaction, la désaffection, ou même le rejet d'un parti qui prétend, depuis sa fondation, être le canal des aspirations nationales et démocratiques du peuple québécois, ne signifie pas pour autant, croyons-nous, à l'encontre des dirigeants du N.P.D., que ces aspirations ne sont pas aussi vivantes aujourd'hui.

Conclusion

APRÈS le congrès de fondation de 1961, les multiples tentatives pour faire du N.P.D. une organisation de masse, forte et enracinée chez le peuple québécois, ont toutes échoué. De manière très instructive, la situation dont hérite le N.P.D. aujourd'hui au Québec, comme toutes les crises qui l'ont assailli depuis 1961 dans la province, nous renvoie à la question nationale, et plus précisément à la fondation même du parti qui n'a pas su résoudre cet enjeu.

La question nationale, avons-nous expliqué en introduction, demeure un élément clé pour comprendre les tenants et aboutissants de l'impasse dans laquelle s'est toujours retrouvé le N.P.D.-Québec. Dans ce livre, nous avons voulu vérifier concrètement cette articulation directe entre le sort du parti au Québec et ses positions à l'égard des aspirations nationales du peuple québécois. Sous ce rapport, nous croyons avoir mis en lumière des données et des aspects méconnus dans les écrits consacrés au N.P.D. jusqu'ici.

Tout d'abord, notre recherche nous aura permis de mieux identifier les bases réelles d'appui du N.P.D. au Québec *à sa naissance même.* Nous avons pu recueillir des informations qui font ressortir les limites de certaines interprétations. Ainsi en est-il des allégations selon lesquelles le sort connu par le N.P.D. au Québec serait imputable au «manque de tradition politique ouvrière», à «l'apathie des membres», particulièrement dans les syndicats, à «l'absence de radicalisme canadien-français», ou enfin au fait que «les travailleurs à la base» n'auraient pas été prêts à se lancer dans l'expérience d'un parti du travail. Les faits, consignés dans ce livre, contredisent ces affirmations. En particulier, le fort mouvement pour un parti des travailleurs, déployé d'abord à la F.U.I.Q., puis à la F.T.Q., et les votes significatifs des congrès de 1958 et 1960, témoignent de ce que l'on ne peut attribuer la situation du N.P.D. au Québec aux causes invoquées plus haut. La recherche d'une alternative à l'Union nationale et au parti libéral s'est même exprimée à la C.T.C.C. (C.S.N.), bien qu'elle ait rencontré le scepticisme ou l'opposition de la direction de cette centrale dont les traditions sont différentes.

En somme, nous croyons que le Nouveau Parti, à sa fondation, possède une base réelle au Québec et qu'il dispose, à ce moment-là, de véritables possibilités de développement. Il ne bénéficie pas de la participation de la C.T.C.C. (C.S.N.) au projet. Cette participation lui procurerait davantage de force si elle se matérialisait. Toutefois, le Nouveau Parti s'appuie sur la principale centrale syndicale au Québec, la F.T.Q.. L'initiative du congrès du C.T.C. en 1958 favorise évidemment et même déclenche officiellement le mouvement pour l'action politique indépendante des travailleurs au Québec. En revanche, ce mouvement puise son propre élan, sa propre dynamique, non seulement à partir du Canada anglais, mais dans les contradictions et les luttes de classes au Québec même. D'où aussi l'inexactitude de la thèse affirmant que ce qui se développe au Québec de 1958 à 1961 n'est qu'une «réplique» ou une «idée» transplantée du Canada anglais.

Mais c'est particulièrement en rapport avec la question nationale que notre ouvrage permet, croyons-nous, de dégager des enseignements.

La majorité des écrits du Canada anglais sur le N.P.D. attribuent les complications énormes qu'a connues le parti au Québec au nationalisme montant dans cette province. Celui-ci aurait provoqué peu à peu divergences et scissions, pour enfin entraîner le parti dans l'impasse. Ces études, la plupart du temps, ne relatent pas ou gardent le silence sur les positions de la direction fédérale du parti à propos des droits nationaux du peuple québécois.

À l'origine, le Nouveau Parti au Québec regroupe quelques milliers de membres. Ils sont recrutés en l'espace de quelques mois seulement. Le parti en formation commence à détenir des assises significatives dans les syndicats, et conséquemment peut espérer un avenir prometteur comme force politique. Mais ce que notre recherche nous a permis de dégager, c'est le fait qu'après les déclarations de bonnes intentions, la direction fédérale entreprend d'écarter, de freiner, puis de bloquer les aspirations nationales du peuple québécois au sein de la nouvelle organisation. À compter de 1977, elle fait un pas de plus. Elle joint les rangs de Pro-Canada, appelle à voter NON au référendum et donne son assentiment au *coup de force constitutionnel* du gouvernement Trudeau. Ces prises de positions successives du N.P.D. l'opposent radicalement aux aspirations nationales du peuple québécois et, par conséquent, contribuent à son isolement progressif au Québec.

En fait, la crise d'octobre de 1970 est l'une des rares occasions où le N.P.D. s'inscrit en défense du peuple québécois en s'opposant à la loi sur les mesures de guerre. Mais ce geste du moment ne modifie pas pour autant le cours fondamental que prend le parti sur la question nationale.

Considérant l'orientation persistante de la direction fédérale sur la question nationale, pourrions-nous affirmer que le N.P.D. au Québec était, au point de départ, un parti «mort-né»?

Une telle lecture des événements ne respecterait pas le cheminement et la dynamique de la réalité vécue qui a mené à la fondation du parti et subséquemment aux échecs répétés en rapport avec la question nationale.

En 1961, au Québec, le Nouveau Parti Démocratique n'est pas un parti «mort-né»; en témoignent l'importance numérique de la délégation québécoise au congrès de fondation et sa participation significative aux travaux du congrès, de manière à donner un véritable coup d'envoi au parti au Québec. Mais en 1961, dès le congrès de fondation, le Nouveau Parti Démocratique fait face à un obstacle de taille qui n'est guère de nature à favoriser sa construction au Québec : à savoir le blocage de la direction fédérale à l'égard des aspirations nationales du peuple québécois. Cet obstacle est déjà là. Il se manifeste aux premières heures de l'existence du parti. Ce premier «test» indique déjà les conditions dans lesquelles la nouvelle organisation aura à se débattre au Québec. Mais tout n'est pas joué. La bataille n'est pas perdue d'avance. La construction d'une solide base au Québec permettrait sans doute d'affronter efficacement les positions de la direction fédérale du parti. En tout cas, les premiers succès remportés par les Québécois au congrès de fondation l'ont laissé espérer. Mais, comme nous avons pu le constater, la section québécoise ne réussira pas, par la suite, à infléchir l'orientation des dirigeants. En vérité, de nouvelles difficultés surgissent très tôt, nuisant à la construction du parti au Québec et affaiblissant par le fait même sa capacité d'action au sein même du N.P.D. fédéral.

D'une part, la pression du nationalisme montant au Québec agit fortement au sein du parti. Son effet est lui-même partiellement nourri par la position de la direction fédérale à l'égard du Québec. Les divergences engendrent rapidement la confrontation, et finalement, en 1963, c'est l'éclatement.

D'autre part, la retraite progressive, puis le refus de la F.T.Q. de continuer à soutenir le N.P.D.-Québec, contribuent à leur tour à l'affaiblissement de l'organisation. Jusqu'en 1963, le support de la plus importante centrale syndicale québécoise a permis au N.P.D.-Québec un départ sérieux et un impact certain. C'est grâce à l'appui de la F.T.Q. si le Québec peut bénéficier d'une délégation massive, équivalente à celle de la

Colombie-Britannique, au congrès de fondation du parti. Et c'est grâce à cette présence ressentie par les autres délégations si une première bataille peut y être remportée sur la question des statuts. C'est aussi principalement grâce à la pression exercée par la F.T.Q. si le congrès fédéral de 1963 accepte de modifier à nouveau les statuts du parti, de façon à reconnaître «l'autonomie» du N.P.D.-Québec; et ce, indépendamment du caractère tout à fait relatif de cette «autonomie» concédée, comme l'a révélé la crise de 1972.

Cette implication de la F.T.Q. au sein du N.P.D.-Québec jusqu'en 1963 illustre d'ailleurs toute l'importance qu'ont prise les organisations syndicales dans la création, l'impulsion et le soutien permanent de ce parti du travail à compter de 1958.

Mais au Québec, précisément, la F.T.Q. s'éloigne de plus en plus du N.P.D. après 1963. Et c'est pourquoi, après cette date, sans l'apport de la F.T.Q., aux prises avec le chauvinisme de la direction fédérale, le N.P.D.-Québec s'affaiblira encore davantage, étant mené progressivement à l'isolement. De fait, l'échec de 1963 n'est jamais surmonté. Ce qui va suivre n'est qu'une suite d'échecs et d'impasses plus ou moins marqués : de Cliche, à Morin, à Laliberté, à Gautrin, à Lavigne, les tentatives de relance au Québec s'avèrent infructueuses.

À l'inverse, au Canada anglais, le N.P.D. demeure toujours, malgré ses difficultés propres, un parti relativement fort et enraciné. Cependant, quelques précisions s'imposent.

Au Canada anglais, la question nationale n'a évidemment pas bloqué le travail d'implantation du parti, comme cela s'est passé au Québec, et comme cela s'est vraisemblablement passé chez les peuples autochtones et chez le peuple acadien.

Par contre, la position du parti sur la question du Québec, impulsée par sa direction, a quand même agi sur le travail de construction au Canada anglais et continue d'y ralentir les efforts de consolidation. Car, en définitive, cette orientation de la direction fédérale a contribué à réduire à sa plus simple expression l'organisation du parti au Québec; ce faisant, elle a pratiquement empêché, pendant ces dernières vingt-cinq années, toute possibilité pour le N.P.D. de former le gouvernement à Ottawa.

À ce propos, le problème fondamental que rencontre le N.P.D. depuis sa fondation réside dans sa position sur le Québec. L'incapacité manifestée par le parti à se construire au Québec de 1961 à 1985 renvoie bel et bien, pour une large part, aux positions développées par la direction fédérale à l'égard des aspirations nationales du peuple québécois.

Mais le N.P.D.-Québec peut-il aujourd'hui être construit (ou reconstruit) et devenir un parti de masse?

Cette question ne sera vraiment tranchée que par la vie politique réelle. Mais il nous apparaît important, au terme de ce livre, de faire part de notre propre appréciation qui se base sur l'histoire des 25 années de ce parti.

Les échecs passés et répétés du N.P.D. au Québec, l'impasse dans laquelle il est depuis 25 ans, le maintien de la position fédéraliste du parti fédéral et l'ambiguïté qu'a toujours laissé planer sur la question nationale la direction du N.P.D.-Québec, font que le peuple québécois, dans une forte majorité, n'a jamais reconnu ce parti comme le sien, et ne semble pas en voie de le faire.

Nous sommes par ailleurs à l'heure où se manifeste, chez les travailleurs, les travailleuses, et les jeunes du Québec, un fort mouvement de désaffection à l'égard du Parti Québécois.

Cette désaffection à l'égard d'un parti n'est aucunement synonyme de résorption, voire même de disparition, des aspirations nationales du peuple québécois. Ces aspirations sont là et demeurent une donnée essentielle de la réalité politique du Québec. Elles se sont exprimées contre le *coup de force constitutionnel* du gouvernement Trudeau; plus récemment, elles ont rebondi au sein du Parti Québécois où elles ont finalement entraîné une cassure sans précédent. Mais, à l'avenir, elles chercheront tout probablement à s'exprimer différemment, possiblement par l'intermédiaire d'un nouvel instrument politique.

Or la recherche d'une alternative politique au Parti Québécois se manifeste à nouveau au sein du mouvement ouvrier et dans les rangs de la jeunesse. Comme en 1957-58, mais dans des circonstances tout à fait différentes, la question d'un «troisième parti» est posée. Elle s'exprime de diverses façons et provient de différentes sources à la fois, dont le N.P.D.-Québec.

Si le N.P.D.-Québec ne semble pas pouvoir être ce nouveau parti de masse, en revanche, parce qu'il exprime une tradition d'action politique indépendante du mouvement ouvrier, il pourrait contribuer à la construction de ce parti. Il pourrait le faire, dans la mesure de ses propres forces, et dans l'éventualité où les conditions de création de ce nouveau parti soient réunies. En nous appuyant sur l'expérience passée, l'issue dépend largement de la position qu'adopteront les organisations syndicales.

L'influence que le N.P.D.-Québec pourrait exercer sur la création d'une troisième force politique au Québec sera, de nouveau, à la mesure do la position qu'il entretiondra à l'égard des aspirations nationales du peuple québécois.

20 avril 1985

ANNEXE I

Le Nouveau Parti Démocratique
aux élections fédérales (1961-1984)[1]

	CANADA	QUÉBEC
18 juin 1962	13,4% (1 037 531 voix) 19 sièges	4,39% (98 315 voix)
8 avril 1963	13,10% (1 037 857 voix) 17 sièges	7,13% (151 061 voix)
8 novembre 1965	17,7% (1 381 658 voix) 21 sièges	11,99% (244 339 voix)
25 juin 1968	17,0% (1 378 260 voix) 22 sièges	7,53% (164 466 voix)
30 octobre 1972	17,72% (1 713 528 voix) 31 sièges	6,43% (168 910 voix)
8 juillet 1974	15,1% (1 467 748 voix) 16 sièges	6,59% (162 080 voix)
22 mai 1979	17,88% (2 048 779 voix) 26 sièges	5,10% (163 492 voix)
18 février 1980	19,77% (2 164 987 voix) 32 sièges	9,07% (268 409 voix)
4 septembre 1984	18,80% (2 358 676 voix) 30 sièges	8,77% (301 447 voix)

---

1 Pourcentage des voix recueillies et nombre de sièges. Données tirées des rapports du Directeur général des élections du Canada, Élections-Canada, Ottawa.

ANNEXE II

Projet de programme (1961) (section sur le fédéralisme)

LE FÉDÉRALISME COOPÉRATIF

Ce programme est le manifeste des aspirations nationales du Nouveau Parti et porte donc principalement sur l'exercice des pouvoirs fédéraux. Dans chaque province, les partis provinciaux élaboreront démocratiquement un programme adapté à leurs aspirations et à leurs besoins particuliers et le présenteront à l'électeur. Mais le parti national se préoccupe surtout des relations entre les gouvernements fédéral et provinciaux.

Le Nouveau Parti déclare formellement sa foi dans le fédéralisme, qu'il considère comme le seul système capable d'assurer le développement vigoureux et équilibré de la nation canadienne. Il croit aussi que la planification sociale et économique doit émaner de tous les échelons gouvernementaux. Il cherchera par conséquent à établir des liens étroits entre les gouvernements responsables, de façon à coordonner l'élaboration, l'exécution des plans, le travail des services administratifs et déterminer des standards qui seront observés par toute la nation.

Tout de suite après la Confédération, on confia à un ministre fédéral la responsabilité de veiller sur les relations avec les provinces. Le temps est venu de rétablir cette fonction. Le gouvernement du Nouveau Parti créera un Ministère des Relations fédérales-provinciales qui aura la charge de maintenir et d'accentuer la coopération entre les autorités fédérales et provinciales, de coordonner les travaux des commissions et organismes conjoints et d'agir comme secrétariat général.

Le Nouveau Parti croit que les séances de consultation au sommet sont essentielles au bon fonctionnement de nos institutions fédérales et se propose de convoquer régulièrement une Conférence des premiers ministres, à laquelle participeront le premier ministre du Canada et ceux des provinces.

Les Canadiens ne sont pas encore maîtres absolus de leur Constitution. Le Parlement britannique retient à contre-cœur le pouvoir de l'amender, tout simplement parce que nous n'avons pu nous entendre sur la procédure à suivre pour modifier les dispositions de l'Acte de l'Amérique Britannique du Nord. Le Nouveau Parti fédéral s'engage à mettre au point, en collaboration avec les provinces, une formule acceptable d'amendement. Cette formule devra être assez souple pour répondre aux besoins actuels, mais elle devra aussi permettre d'enchâsser dans la Constitution la garantie des droits fondamentaux en matière d'éducation et de langue, ainsi que de la liberté politique, essence même de la démocratie parlementaire.

LE CANADA EN TANT QUE NATION

Deux langues et deux grandes cultures ont contribué à l'évolution du Canada. Son unité comme nation repose sur la reconnaissance et le respect intégral de chacune.

Le Canada s'est aussi enrichi de l'apport de plusieurs autres groupes de nationalité, de langue et de culture différentes. La véritable identité canadienne naîtra du respect pour chacune de ces traditions et de leur apport à la vie nationale.

Le Nouveau Parti respectera scrupuleusement et protégera les traditions et la culture des Canadiens de toute origine ethnique.

Il n'ignore pas non plus les problèmes et les besoins particuliers des premiers habitants du Canada, les Indiens et les Esquimaux, dont le mode de vie traditionnel a été bouleversé par la civilisation moderne. Il leur accordera la liberté d'exercer pleinement leurs droits politiques et sociaux comme citoyens du Canada.

Pour donner un sens à la nation canadienne, le Nouveau Parti adoptera un drapeau et un hymne national distinctifs.

DROITS DE L'HOMME

Le Nouveau Parti sera le garant de la liberté politique et de la liberté parlementaire qui sont notre héritage.

Quelquefois, ces libertés ont été menacées et minées par l'action des gouvernements. La Loi sur les Droits de l'Homme maintenant en vigueur est tout à fait impuissante à les protéger. Elle est susceptible d'être révoquée ou amendée, et toute législation ultérieure du Parlement peut y passer outre. La Loi est sans effet sur les législations municipales et provinciales et ne peut rien contre les articles de lois déjà en vigueur.

Le Nouveau Parti protégera nos libertés fondamentales en sollicitant la collaboration des provinces pour les incorporer à la Constitution canadienne. Là, elles seront soustraites à l'atteinte de toute législation qui puisse les mettre en danger. Les droits essentiels ainsi garantis seront entre autres :
• la liberté de religion;
• la liberté de parole;
• la liberté d'association;
• la liberté de rassemblement;
• la protection contre toute discrimination dans les domaines de l'emploi, de l'habitation et des services.

UN PARLEMENT PLUS FORT

Le gouvernement du Nouveau Parti s'efforcera d'améliorer le processus démocratique du parlementarisme.

Il mettra sur pied des services de recherches afin que les membres des partis d'opposition puissent se munir et faire usage d'informations qui sont maintenant à la disposition exclusive du parti au pouvoir.

Il entreprendra des études visant à l'établissement d'un système plus efficace et plus fonctionnel des commissions parlementaires. Il espère amener ainsi les députés de tous les partis à examiner plus attentivement les législations gouvernementales, de même que l'activité des agences et des sociétés de la Couronne.

La santé du Parlement dépend en définitive de l'intégrité des partis politiques qui y sont représentés. Pour prémunir le Parlement contre la domination des partis politiques par des bailleurs de fonds puissants et anonymes, le Nouveau Parti adoptera une loi exigeant que la liste entière des contributions aux partis soit rendue publique et restreignant les dépenses électorales.

ANNEXE III

Mémoire sur le fédéralisme
soumis par le Comité provincial du N.P. du Québec
au colloque d'orientation des 17 et 18 juin 61

Les recommandations de ce mémoire découlent de notre philosophie de la Constitution canadienne telle qu'exprimée ci-dessous :

La Confédération canadienne doit être considérée non seulement comme un pacte intervenu entre des provinces, mais aussi comme un pacte entre deux nations : la nation canadienne-française et la nation canadienne-anglaise. Par suite de cette interprétation de la Constitution, le Nouveau Parti proclame sa foi en un fédéralisme renové qui, par la décentralisation des pouvoirs, constitue la meilleure garantie pour tous de l'exercice des libertés et qui, seul, permet aux Canadiens-français, dans l'État provincial où ils sont en majorité d'asseoir sur de solides bases économiques leur indépendance culturelle.

La libération économique est la condition essentielle pour que les Canadiens-français aient la pleine jouissance de leurs prérogatives constitutionnelles. Les partis traditionnels et l'élite canadienne-française des affaires ont trahi les intérêts permanents du peuple canadien-français par leur alliance ouverte avec le grand capital. Les luttes autonomistes qu'elle a appuyées, parce qu'elles furent une vaste entreprise de diversion, n'ont jamais inquiété les maîtres de notre économie.

LA CONFÉDÉRATION ET LA PLANIFICATION DÉMOCRATIQUE

L'actuel régime économique constitue une concentration de pouvoirs sur lesquels les citoyens n'exercent aucun contrôle démocratique valable. Une partie croissante de cette concentration se fait complètement à l'extérieur de notre pays et aboutit en réalité à l'aliénation la plus grave et la plus lourde de conséquences des juridictions à la fois fédérale et provinciales. Nous préconisons une lutte efficace contre cette concentration non par la centralisation à Ottawa des pouvoirs législatifs, mais par une planification démocratique de type confédéral.

Loin d'accroître la centralisation, une planification démocratique de type confédéral est le meilleur antidote contre la centralisation et la plus sûre garantie du respect des droits provinciaux. Elle remettra aux citoyens des provinces et de l'État fédéral la responsabilité des politiques économiques qui relèvent de leurs juridictions respectives.

Dans le cadre de la Confédération, la planification démocratique requiert la constitution d'organismes provinciaux et fédéraux de planification dotés de larges compétences sur certaines secteurs bien définis, leur permettant ainsi de remplir leurs fonctions constitutionnelles.

La décentralisation de la planification, en rapprochant les organis-mes de décision des citoyens, facilitera leur participation démocratique.

Une planification qui centraliserait tous les pouvoirs à Ottawa irait à l'encontre des exigences profondes du fédéralisme et des objectifs réels de la démocratie économique, lesquels demeurent l'élargissement des libertés populaires.

A) Le bureau fédéral-provincial de planification

La Constitution canadienne a réparti entre les gouvernements provinciaux et le gouvernement fédéral la juridiction sur les différents domaines de la politique économique, sur les divers instruments de planification.

Le gouvernement fédéral jouit d'une juridiction exclusive sur la monnaie, le commerce et les transports inter-provinciaux et internationaux; les provinces, sur l'éducation, la sécurité sociale, les ressources naturelles; et les deux se partagent la responsabilité en matière d'agriculture et d'immigration. Cette division des moyens de planification économique, inhérente à un régime fédéral, pourrait conduire à l'inefficacité à moins que les gouvernements n'entreprennent une nouvelle forme de collaboration.

La planification démocratique poursuit, entre autres, les buts suivants : le plein emploi, une distribution plus équitable des revenus et l'indépendance économique. Une utilisation harmonieuse des différents instruments de planification : fiscalité, monnaie, secteurs publics, investissements publics, est donc requise pour l'obtention de ces objectifs. C'est l'unique façon d'éviter que les gouvernements poursuivent des politiques contradictoires.

Nous préconisons l'établissement d'un bureau fédéral-provincial de planification groupant des experts des gouvernements fédéral et provinciaux et dont l'objet serait de faire des recommandations aux autorités gouvernementales en vue d'assurer la coordination et la cohérence des politiques économiques et des plans des différents gouvernements. Il serait l'organe privilégié de coopération fédérale-provinciale pour tout ce qui regarde la politique économique.

Une telle coopération, respectueuse des juridictions provinciales, devrait remplacer la pratique des décisions unilatérales du gouvernement central en des matières telles que le partage des impôts, les paiements de péréquation et les programmes conjoints.

B) Paiements de péréquation

Une des principales raisons d'être du gouvernement fédéral est de répartir, en collaboration avec les provinces, les revenus et les richesses de manière que chacune d'elles dispose de ressources égales pour assumer ses responsabilités constitutionnelles. La nouvelle forme de péréquation que le gouvernement Diefenbaker a imposé d'une façon unilatérale aux provinces aggrave l'inégalité fiscale et met en danger le fédéralisme canadien.

Ces subsides sans condition devraient être étendus car, loin d'aller à l'encontre des droits provinciaux, ils sont une des meilleures méthodes de protéger le fédéralisme canadien et de donner à toutes les provinces un intérêt égal dans la conservation et la défense de leurs prérogatives. Le gouvernement fédéral ne pourrait plus alors se prévaloir de la trop grande inégalité entre les provinces pour s'ingérer dans les domaines qui ne sont pas de sa juridiction.

C) Le partage des impôts

Le principe du fédéralisme exige, pour être réalisé non seulement en droit, mais aussi en pratique, que chaque gouvernement ait sous son contrôle exclusif des sources de taxation suffisantes pour assurer complètement les responsabilités qui lui sont dévolues d'après la constitution.

Le refus des partis traditionnels, soumis aux pressions des groupes d'intérêt qui les appuient, de recourir à une fiscalité progressive est une des principales causes des disputes fiscales actuelles. Le Nouveau Parti mettra fin aux privilèges fiscaux des compagnies et des classes privilégiées par l'instauration de taxes progressives, telles que l'impôt sur les gains de capital des spéculateurs, l'augmentation de l'impôt sur les profits des compagnies et les bénéfices non-distribués, et l'abolition des privilèges exorbitants consentis aux compagnies et à leurs administrateurs au chapitre des dégrèvements pour la dépréciation, la publicité et les comptes de dépenses. Une telle politique permettra au gouvernement fédéral de céder une part de ses revenus aux provinces sans pour autant se départir de ce dont il a besoin.

En résumé, nous préconisons, pour accroître les revenus des gouvernements provinciaux, les méthodes suivantes :

a) l'augmentation des taxes, loyers et redevances sur les compagnies qui exploitent les ressources naturelles; l'exploitation des ressources naturelles est une des assises économiques de l'autonomie provinciale. Les provinces devraient donc avoir la possibilité d'utiliser à plein cette source de revenu, laquelle représente la meilleure garantie de leur autonomie fiscale. Les nouvelles ententes fiscales, en incluant ces revenus dans le calcul de la péréquation, briment les droits des provinces et favorisent les compagnies qui exploitent les ressources naturelles;

b) l'extension du secteur public de leur économie dans les services publics et dans tous les champs où cette méthode se révélera la plus efficace pour protéger les citoyens contre les monopoles ou assurer l'indépendance de l'État provincial;

c) la modification des ententes fiscales actuelles pour que les provinces obtiennent une plus grande part des trois impôts conjoints : sur le revenu, sur les profits des sociétés commerciales et sur les successions.

D) Les programmes conjoints

Le refus du gouvernement fédéral de laisser aux provinces les revenus dont ils ont besoin a entraîné l'extension des programmes conjoints à base de participation conditionnelle.

Ces subsides conditionnels ont des conséquences dangereuses pour l'avenir de la Confédération canadienne. Ils faussent l'orientation des budgets provinciaux et résultent trop souvent de décisions unilatérales du gouvernement central. De plus, ils permettent une ingérence et un contrôle plus ou moins grand du gouvernement fédéral dans des domaines qui sont de juridiction provinciale.

Le Nouveau Parti ne refuse pas à priori la participation financière conjointe du gouvernement fédéral et des provinces à certaines entreprises d'intérêt national, si cette participation est le point d'une collaboration libre entre les gouvernements, et non d'une décision unilatérale du gouvernement central. Cette collaboration est souvent, d'ailleurs, une solution de rechange à une plus grande centralisation. L'établissement de ces programmes conjoints doit être relié à une planification de type confédéral et à une collaboration inter-gouvernementale au sein du bureau fédéral-provincial de planification.

Nous croyons que chaque gouvernement provincial devrait avoir la liberté de ne pas participer à des programmes conjoints et de disposer librement des revenus qu'il aurait reçus, s'il les avait acceptés.

E) La politique monétaire

Le bureau fédéral-provincial de la planification devrait rendre possible une coordination des plans provinciaux et fédéraux qui sont conditionnés par la politique monétaire.

Le statut de la Banque du Canada devrait être modifié de façon à permettre aux provinces, et aux municipalités par l'intermédiaire des provinces, dans le cadre d'un plan confédéral de développement économique, d'avoir accès au crédit de la banque centrale.

LA CONFÉDÉRATION ET L'ÉDUCATION

Les provinces possèdent une juridiction exclusive en matière d'éducation. Cette souveraineté provinciale est d'une telle importance pour l'autonomie culturelle des Canadiens-français que le respect du pacte confédéral exige que le gouvernement central tienne compte de la position du Québec. D'autre part, nous reconnaissons aux enfants de chaque province le droit à des possibilités égales d'éducation.

C'est pourquoi nous recommandons, pour mettre fin à une longue mésentente qui compromet le progrès de l'éducation, que chaque province ait le choix entre les formules suivantes :

1- accepter l'aide fédérale à l'éducation;

2- ou recevoir les paiements de péréquation non conditionnels équivalents;

3- ou encore percovoir elle-même l'équivalent qui serait déductible de l'impôt fédéral.

Le gouvernement fédéral devrait assumer pleinement la responsabilité constitutionnelle qu'il a de protéger les droits scolaires des partenaires originaux de la Confédération quand ils sont en minorité dans une province. Il devrait adopter comme standard le traitement que la province de Québec accorde à sa propre minorité de langue anglaise.

LA CONFÉDÉRATION ET LA RÉFORME DES INSTITUTIONS POLITIQUES

Cette coopération fédérale-provinciale dans le cadre d'une planification de type confédéral se heurte à de graves lacunes au niveau de nos institutions politiques lesquelles ont toutes pour résultat de favoriser une trop grande centralisation.

Nous préconisons les réformes suivantes :

A) Le rapatriement de la Constitution

Il est inadmissible qu'à six ans du centenaire de la Confédération, le peuple canadien ne possède pas encore le contrôle de sa Constitution.

La nature elle-même du pacte confédératif exige que tout mode d'amendement à la Constitution garantisse à chacun des partenaires originaux le respect intégral de ses droits fondamentaux.

Le droit pour un de ces partenaires d'empêcher certains amendements est une des plus sûres garanties de la protection de ses droits constitutionnels.

B) La Cour suprême du Canada

Depuis l'abolition des appels au Conseil privé de Londes, la Cour suprême du Canada est devenue le tribunal constitutionnel de dernière instance. C'est elle qui arbitre les conflits de juridiction entre les gouvernements. Ce tribunal constitutionnel souffre d'une lacune fondamentale parce qu'il relève exclusivement du Gouvernement fédéral.

Nous préconisons :

1- que l'organisation de la Cour suprême relève de la Constitution;

2- que le Conseil de la Confédération ratifie les nominations à la Cour suprême.

C) Droit de désaveu

Nous préconisons l'abolition du droit fédéral de désaveu et de réserve des lois provinciales et son remplacement par l'incorporation à la Constitution d'une Déclaration des droits de l'homme acceptée par chaque province. C'est d'ailleurs la seule méthode efficace de protéger les libertés fondamentales des citoyens.

D) Conseil de la fédération

Le Sénat actuel devrait être remplacé par un Conseil de la Confédération composé pour les deux tiers de conseillers élus par les citoyens à l'occasion d'élections provinciales et pour un tiers de conseillers élus à l'occasion d'élections fédérales.

Il aurait les mêmes pouvoirs législatifs que le Sénat actuel pour tout ce qui concerne les relations fédérales-provinciales. De plus, il aurait le pouvoir de ratifier la nomination des juges à la Cour suprême.

ANNEXE IV*

La résolution soumise par le N.P.D.-Québec au congrès fédéral d'avril 1971

Faisant suite aux décisions qu'il a prises à son dernier congrès général, le N.P.D.-Québec propose que le N.P.D. du Canada adopte de nouvelles orientations générales en ce qui concerne les relations devant exister dans le futur entre le Québec et les autres provinces du Canada, en ce qui concerne la recherche de nouveaux modes de participation politique des citoyens, ainsi qu'en ce qui touche la nécessité de contribuer à définir de nouvelles structures politiques devant régir l'organisation socio-économique des citoyens.

LES RELATIONS QUÉBEC-CANADA

Étant donné les positions que le N.P.D. a prises dans le passé concernant la reconnaissance de deux nations au Canada et le statut particulier qui devait s'ensuivre pour le Québec sur le plan constitutionnel;

Étant donné que le N.P.D.-Canada a fait montre d'un grand courage politique l'automne dernier à l'occasion de la proclamation de la Loi des mesures de guerre et de l'adoption de la Loi d'urgence;

Étant donné qu'il a continué par la suite à manifester sa détermination de voir à ce que les droits fondamentaux de tous les citoyens du Canada soient intégralement respectés sous quelque situation politique que ce soit;

Étant donné par ailleurs que tous les autres partis politiques canadiens ont allègrement accepté que soient bafoués ces droits élémentaires des citoyens du Québec;

Étant donné que le parti et le gouvernement libéral canadiens se sont acharnés à réduire à néant les droits fondamentaux de pouvoir déterminer eux-mêmes leur avenir collectif;

Étant donné d'autre part que la nation québécoise donne tous les signes d'une volonté ferme et collective de déterminer elle-même et pour elle-même le sens de son orientation politique future;

---

* L'italique est de nous.

Il est résolu que le présent congrès fédéral adopte ce qui suit .

a) *Il reconnaît aux Québécois leur droit absolu à l'auto-détermination c'est-à-dire à déterminer collectivement le degré de souveraineté politique qui leur convienne.*

b) *Il s'engage à proposer et à défendre ce droit auprès de ses sections provinciales et de l'ensemble de la population canadienne.*

Étant donné cependant qu'il est impossible d'ignorer les réalités économiques et géographiques du Canada et du continent nord-américain et de l'interdépendance qui en découle;

Étant donné également que l'économie de l'ensemble du Canada est actuellement dominée par des intérêts capitalistes étrangers, principalement américains;

Étant donné qu'il est désirable et qu'il serait profitable tant au Québec, qu'à l'ensemble du Canada, que se développe dès maintenant une nouvelle alliance entre les deux peuples qui forment le Canada actuel;

Le Nouveau Parti Démocratique du Canada;

a) Invite tous les socialistes du Canada actuel à développer entre eux les liens les plus étroits possibles, afin de lutter dès maintenant pour la reprise en mains et la remise en propre aux citoyens des organismes de contrôle et des institutions économiques canadiennes et québécoises.

b) Il invite également l'ensemble des citoyens à se mettre à la recherche des principes de base, des institutions et des modalités devant régir cette *nouvelle alliance entre les deux peuples qui forment le Canada actuel.*

DE NOUVEAUX MODES DE PARTICIPATION POLITIQUE

Étant donné la persistance des problèmes de représentation adéquate des citoyens par les députations parlementaires œuvrant sous notre régime politique actuel;

Étant donné le nombre et la qualité des recherches concrètes qui sont en cours dans certaines villes du Canada quant à de nouveaux modes de participation politique des citoyens;

Étant donné la nécessité d'imaginer de nouvelles formes de vie socio-politique mieux adaptées aux besoins exprimés de plus en plus précisément par les assistés sociaux de toutes catégories, la jeunesse dans son ensemble et les autres citoyens ne détenant présentement pas de pouvoir politique réel :

Le Congrès du Nouveau Parti Démocratique du Canada :

a) demande au Conseil fédéral de donner suite dans les plus brefs délais à son projet de comités des relations avec les groupes non-parlementaires;

b) *invite les sections provinciales du parti à prendre en leurs milieux respectifs l'initiative de la tenue dans tout le Canada de véritables «constituantes populaires» regroupant entre autre les membres des comités de citoyens, des maisons de chômeurs et d'assistés sociaux, des comités locaux non partisans d'action politique, des comités d'action politique des syndicats et autres groupements similaires, et ayant pour objets de :*

1) tenter de définir de nouveaux modes de participation politique des citoyens;

2) poser la nécessité d'imaginer de nouvelles formes de vie socio-culturelle moderne;

3) tenter de nouvelles définitions des structures politiques devant régir l'organisation socio-économique des citoyens.

Bibliographie

Ouvrages généraux

ABELLA, Irving Martin, *Nationalism, Communism and Canadian Labour,* Toronto, University of Toronto Press, 1973, 247 p.

BAKER, W., PRICE, T., *The New Democratic Party and Canadian Politics,* tiré du livre de Hugh C. Thoburn, *Party Politics in Canada,* Scarborough, Prentice Hall Ltd, 1967, p. 168-179.

BARBERIS, Robert, DROUILLY, Pierre, *Les illusions du pouvoir (les erreurs stratégiques du gouvernement Lévesque),* Montréal, Sélect, 1980, 238 p.

BERGERON, Gérard, *Du Duplessisme au Johnsonnisme,* Montréal, éd. Parti Pris, 1967, 470 p.

BOISMENU, Gérard, *Le Duplessisme, politiques économiques et rapports de forces 1944-1960, Montréal, Presses de l'Université de Montréal,* 1981, 432 p.

CAPLAN, Gerald L., *The Dilemma of canadian socialism, the CCF in Ontario,* Toronto, McClelland and Stewart Ltd, 1973, 208 p.

CHRISTIAN, William, *Political Parties and ideologies in Canada : liberals, conservatives, socialists, nationalists,* Toronto-New-York, McGraw Hill Ryerson, 1974, 213 p.

Commission royale d'enquête sur le Biculturalisme et le Bilinguisme, *Rapport préliminaire,* Ottawa, Imprimeur de la Reine, 1965, 217 p.

CRISPO, John, *International Unionism (a study in Canadian-American relations),* chapitre intitulé *Political action and the canadian labour movement,* Toronto-New-York, McGraw Hill Company of Canada Ltd, 1967, 327 p.

C.S.N./C.E.Q., *Histoire du mouvement ouvrier au Québec (1825-1976),* Coédition C.S.N.-C.E.Q., 1979, 235 p.

D'ALLEMAGNE, André, *Le R.I.N. et les débuts du mouvement indépendantiste québécois,* Montréal, éd. l'Étincelle, 1974, 160 p.

DAVID, Hélène, *L'état des rapports de classes au Québec de 1945 à 1967,* Montréal, revue Sociologie et Sociétés, vol. VII no 2, p. 33-66.

DEAN, E. McHenry, *The third force in Canada : the C.C.F. 1932-1948,* Berkely and Los Angeles, University of California Press, 1950, 351 p.

DENIS, Roch, *Luttes de classes et question nationale au Québec 1948-1968,* Montréal/Paris, Presses Socialistes Internationales/Études et Documentation Internationales, 1979, 601 p.

DUMAS, Evelyne, *Dans le sommeil de nos os,* Ottawa, Lemeac, 1971, 170 p.

En collaboration, *En grève! L'histoire de la C.S.N. et de ses luttes de 1937 à 1963,* Montréal, Éditions du Jour, 1963, 250 p.

FRASER, Graham, *Le Parti Québécois,* Montréal, Libre Expression, 1984, 432 p.

GAGNON, Gabriel, *La gauche a-t-elle un avenir au Québec* dans LAPIERRE, Laurier, *Essays on the left,* Toronto, McClelland and Stewart Ltd, 1971, p. 240.

GRANT, Michel, *L'action politique syndicale et la Fédération des Unions Industrielles du Québec,* thèse M.A. (relations industrielles), Université de Montréal, 1968, 176 p.

HOROWITZ, Gad, *Canadian Labour in Politics,* University of Toronto Press, Toronto, 1968, 273 p.

KNOWLES, Stanley H., *Le nouveau parti,* Montréal, éd. du Jour, 1961, 158 p.

LAPIERRE, Laurier, *Essays on the left : essays in honour of T.C. Douglas,* Toronto, McClelland and Stewart Ltd, 1971, 281 p.

LA TERREUR, Marc, *Les tribulations des Conservateurs au Québec (de Bennett à Diefenbaker),* Québec, Presses de l'Université Laval, 1973, 258 p.

LEMIEUX, Vincent, *Quatre élections provinciales au Québec 1956-1966,* Québec, Presses de l'Université Laval, 1969, 246 p.

LIPTON, Charles, *The Trade Union Movement in Canada 1827-1959,* Montréal, NC Press, 3e édition, 1973, 384 p.

MILNER, Henry, *The decolonization of Quebec : an analysis of left wing nationalism,* Toronto, McClelland and Stewart Ltd, 1973, 257 p.

MOISEL, John, *The Canadian General Election of 1957,* Toronto, University of Toronto Press, 1962, 313 p.

MORTON, Desmond, *N.P.D. the dream of power,* Toronto, Hakkert, 1974, 181 p.

MORTON, Desmond, *Quebec independance, not a pipe dream-a nightmare,* Viewsletter, avril-mai 1977.

Mouvement Socialiste, *Manifeste du Mouvement pour un Québec socialiste, indépendant, démocratique et pour l'égalité entre les hommes et les femmes,* Montréal, 1981, 56 p.

Province de Québec, *Rapport de la Commission royale d'enquête sur les problèmes constitutionnels,* Commission Tremblay, 1956, vol. I, II, III.

QUINN, F.H., *The Union Nationale (a study in Quebec nationalism),* Toronto, University of Toronto Press, 1963, 249 p.

Rassemblement, Le, *Manifeste,* 10 avril 1959, 2 p.. Document ronéotypé.

ROBERT, Jean-Claude, *Du Canada français au Québec libre (Histoire du mouvement indépendantiste),* Ottawa, Flammarion, collection «Histoire vivante», 1975, 323 p.

ROBIN, Martin, *Radical Politics and Canadian Labour 1880-1930,* Kingston, Industrial Relations Centre, Queen's University, 1968, 321 p.

ROUILLARD, Jacques, *Histoire de la C.S.N. 1921-1981,* Montréal, Boréal Express/C.S.N., 1981, 335 p.

SCOTTON, Clifford A., *Le syndicalisme canadien et l'action politique,* Ottawa, Service d'éducation politique du C.T.C., 40 p.

SHERWOOD, David H., *The N.P.D. and French Canada 1961-65,* thèse M.A., Université McGill, 1966, 195 p.

TREMLAY, Louis-Marie, *Le syndicalisme québécois, idéologie de la C.S.N. et de la F.T.Q. 1940-1970,* Montréal, Presses de l'Université de Montréal, 1972.

TRUDEAU, Pierre Elliott, *Le fédéralisme et la société canadienne française,* Montréal, HMH, coll. Constantes, vol. 10, 1967, 227 p.

WADE, Mason, *Canadian Dualism,* Toronto, University of Toronto Press, 1960, 427 p.

WADE, Mason, *Les Canadiens français de 1760 à nos jours,* Ottawa, Cercle du livre de France, 1963, tome I — 685 p., tome II — 558 p.

YOUNG, Walter D., *The anatomy of a party : the national CCF 1932-61,* Toronto, University of Toronto Press, 1969, 328 p.

YOUNG, Walter D., *The Peterborough election : the success of a Party Image,* 1961. Texte ronéotypé.

ZAKUTA, Leo, *A protest movement becalmed (a study in change in the CCF),* Toronto, University of Toronto Press, 1964, 204 p.

ZAKUTA, Leo, *The CCF-NDP : membership in a Becalmed Protest Movement,* tiré du livre de THOBURN, Hugh G., *Party Politics in Canada,* Toronto, Prentice Hall of Canada Ltd, 1963, p. 96-108.

Choix d'articles de périodiques

ANGERS, François-Albert, «Le congrès du Nouveau Parti», *Action Nationale,* septembre 1961, p. 72-75.

BOURRET, Fernand, «Le Colloque CTC-PSD à Winnipeg», *Relations Industrielles,* octobre 1959, p. 573-589.

BREWIN, J., «Programme study outline and proposed constitution issued by the national committee for the new party», *Le Travailleur Canadien,* mars 1960, p. 53-56.

DESCHAMPS, Michel, «Nécessité du socialisme», *Revue Socialisme,* no. 4, 1960.

DUMAS, Evelyn, «Socialisme et conscience», *Cité libre,* no. 30, octobre 1960.

FOREST, Michel, «Raisons d'échec et motifs d'espoir», *Cité Libre,* décembre 1952, p. 14.

FORSEY, Eugene, «Canada : Two Nations or one?» *The Canadian Journal of Economics and Political Science,* XXVIII, novembre 1962, p. 487-492.

FORSEY, Eugene, «The movement towards labour unity in Canada : history and implications», *The Canadian Journal of Economics and Political Science,* no. XXIV, février 1958, p. 70-83.

HAMILTON, Doug, «Why labour must be political», *Le Travailleur Canadien,* juillet-août 1959, p. 41-45.

KNOWLES, Stanley, «The New Party Essential to Democracy», *Le Travailleur Canadien,* décembre 1960, p. 7-10.

KNOWLES, Stanley, «The New Political Party», *Le Travailleur Canadien,* avril 1959, p. 21-24.

KNOWLES, Stanley, «Trade Unions and the New Party», Le Travailleur Canadion, janvier 1960, p. 33-36.

LAURENDEAU, André, «Le nouveau parti gagnera-t-il les québécois au socialisme», Magazine Maclean, juillet 1961, p. 3.

LAUZON, A., «Le nouveau parti démocratique est-il viable dans le Québec», Magazine Maclean, mars 1962, p. 26-27, 49-51.

LEBEL, Jean-Claude, «Régina : le point de vue du Nouveau Parti», Cité Libre, no. 30, octobre 1960, p. 25.

Le Monde Ouvrier, «Action politique : rendez-vous en 1971», vol. 54, no. 10-11, octobre-novembre 1969.

Le Monde Ouvrier, «La F.T.Q. accordera son appui au N.P.D. fédéral», août 1961.

Le Monde Ouvrier, «La F.T.Q. continue d'aller de l'avant en politique», mai 1959, p. 1.

Le Monde Ouvrier, «Le P.S.D. d'accord avec la F.T.Q. pour la formation d'un Nouveau Parti», mai 1959.

Le Monde Ouvrier, «Le Québec jouera son rôle au sein du Nouveau Parti», septembre 1959, p. 1.

Le Monde Ouvrier, «Les dix ans du régime Trudeau : le gouvernement du mépris», édition spéciale, mai 1979. Cf. «Que propose le N.P.D.?», p. 8.

Le Monde Ouvrier, «Un parti 'taillé sur mesures' pour les travailleurs du Québec», février 1960.

Le Monde Ouvrier, «Votez, votez-mais pour qui?», éditorial, mai 1956.

Le Travailleur Canadien, «CCF holds national convention», septembre 1958, p. 20-26.

Le Travailleur Canadien, «National Seminar discusses New Party», octobre 1959, p. 12-14.

MARCHAND, Jean, «L'évolution des partis politiques», Cité Libre, no. 32, décembre 1960, p. 18.

NOGARET, Paul, «Un nouveau parti», Le Travail, 13 mai 1960, p. 6.

OLIVER, Michael, «Quebec and Canadian Democracy», The Canadian Journal of Economics and Political Science, vol. XXIII, no. 4, novembre 1957, p. 506-507.

OLIVER, Michael, «Réponse à la Restauration», Cité Libre, no. 34, février 1961, p. 14.

PÉRUSSE, E., «Le N.P.D. créera un Canada Nouveau», Le Travailleur Canadien, septembre 1961, p. 42.

Relations Industrielles, «La C.T.C.C., l'action politique et la confessionnalité», octobre 1959, p. 604-605.

RIOUX, Marcel, «Idéologie et crise de conscience du Canada français», Cité Libre, no. 14, décembre 1955.

RIOUX, Marcel, «La démocratie et la culture canadienne-française», Cité Libre, no. 20, juin/juillet 1960.

RIOUX, Marcel, «Socialisme, cléricalisme et Nouveau Parti», Cité Libre, no. 33, janvier 1961.

SCHNEIDER, P., «Le N.P. devra être indépendantiste», *La Revue Socialiste,* printemps 1961.

TRUDEAU, Pierre Elliott, «De quelques obstacles à la démocratie au Québec», *Cité Libre,* 1958.

TRUDEAU, Pierre Elliott, «L'élection du 22 juin 1960», *Cité Libre,* août-septembre 1960, p. 3.

TRUDEAU, Pierre Elliott, «La restauration», *Cité Libre,* no. 33, janvier 1961.

TRUDEAU, Pierre Elliott, «Un manifeste démocratique», *Cité Libre,* octobre 1956, p. 4.

VADEBONCOEUR, Pierre, «La gauche au sortir des élections», *Nouvelles du Nouveau Parti,* novembre-décembre 1960, p. 5-6.

ZAKUTA, Leo, «New-Party», *Canadian Forum,* février 1960, p. 251-252.

Déclarations et documents officiels du mouvement syndical et du Nouveau Parti Démocratique (sélection 1958-1985)

BOUDREAU, Émile, «Rapport sur le N.P.D.-Québec», texte ronéotypé, 28-29 août 1972, 13 p.

BROADBENT, Ed, «L'unité nationale-la troisième option», Allocution prononcée à l'ouverture du 9ème congrès fédéral du N.P.D., 30 juin 1977, texte ronéotypé, 24 p.

Comité national conjoint C.T.C.-C.C.F., «Un nouveau parti politique pour le Canada», Ottawa, 1960, 41 p.

Comité national du Nouveau Parti, «Document pour fin de discussion de la constitution», Ottawa, Mutual Press, janvier 1960, 14 p.

Comité national du Nouveau Parti, «Document pour fin de discussion sur le programme», Ottawa, Mutual Press, janvier 1960, 21 p.

Comité national du Nouveau Parti, *Projet de constitution, le Nouveau Parti,* Montréal, Les Presses Sociales, mars 1961, 15 p.

Comité national du Nouveau Parti, *Projet de programme, le Nouveau Parti,* Ottawa, Mutual Press, mai 1961, 34 p.

Comité provincial du Nouveau Parti, «Constitution du Comité provincial du Nouveau Parti», texte ronéotypé, 4 p.

Comité provincial du Nouveau Parti, «Le nouveau parti propose une charte des droits provinciaux», Communiqué de presse, 14 juin 1961.

Comité provincial du Nouveau Parti, «Mémoire sur le fédéralisme soumis par le Comité provincial du N.P. du Québec au Colloque d'orientation des 17 et 18 juin 1961», 17 juin 1961, texte ronéotypé, 5 p.

Comité provincial du Nouveau Parti, «Rapport de la commission I — Relations fédérales-provinciales», 17 juin 1961, texte ronéotypé, 3 p.

Comité provincial du Nouveau Parti, «Rapport de la commission 2 — Le parti provincial et la constitution fédérale», 17 juin 1961, texte ronéotypé, 3 p.

Comité provincial du Nouveau Parti, «Résolutions présentées au congrès de fondation du Nouveau Parti de la province de Québec», non-daté, texte ronéotypé, 5 p.

Comité provincial du Nouveau Parti, «Résumé du discours d'ouverture du Colloque de Montréal du Nouveau Parti prononcé par Jean-Claude Lebel, organisateur provincial du Nouveau Parti, le 17 juin 1961, à l'Université de Montréal», Communiqué de presse, 17 juin 1961.

Confédération des syndicats nationaux (C.S.N.), «Déclaration du Bureau confédéral sur le Nouveau Parti», 9 août 1961 (extraits), *La Presse,* 10 août 1961.

Confédération des travailleurs catholiques du Canada (C.T.C.C.), «Résolutions sur l'action politique» présentées par le Conseil régional Saguenay-Lac St-Jean et la Fédération de la métallurgie (extraits), Congrès de la C.T.C.C., septembre 1958, *Le Travail,* 26 septembre 1958.

Congrès du travail du Canada (C.T.C.), «Procès-verbal de la réunion du Conseil exécutif des 26, 27 et 28 février 1958» (extraits), *Le Travailleur Canadien,* vol. 3, no. 4, p. 76.

Congrès du travail du Canada (C.T.C.), «Rapport du Comité d'éducation politique», *Congrès du travail du Canada, Deuxième Convention, Winnipeg 21-25 avril 1958, Délibérations de la Convention,* Montréal, Mercantile Printing Limited, 1958, p. 53-63.

Congrès du travail du Canada (C.T.C.), «Rapport du Comité d'éducation politique», *Congrès du travail du Canada, Troisième Convention, Montréal, 25-29 avril 1960, Délibérations de la Convention,* Montréal, Mercantile Printing Limited, 1960, p. 46-52.

Congrès du travail du Canada (C.T.C.), «Résolution sur l'action politique», *Le premier congrès du C.T.C., Toronto 23-27 avril 1956, Délibérations de la Convention,* Ottawa, Mutual Press, 1956, p. 49-53

Conseil provincial du N.P.D.-Québec, «Quelques-unes des décisions prises par le 2ème congrès fédéral du N.P.D.», 14 août 1963, texte ronéotypé, 3 p.

Conseil provisoire du N.P.D.-Q., «La confédération : exposé et principes», 15 décembre 1962, texte ronéotypé, 5 p.

Conseil provisoire du N.P.D.-Q., «La Confédération : la situation des Canadiens-français dans la Confédération», 15 décembre 1962, texte ronéotypé, 6 p.

Conseil provisoire du N.P.D.-Q., «Rapport du sous-comité de la constitution», Procès-verbal de la réunion du 9 décembre 1961.

DAOUST, Fernand, «Déclaration à propos du Nouveau Parti» (extraits), Congrès de la F.T.Q., novembre 1960, *Le Devoir,* 21 novembre 1960.

DAOUST, Fernand, «La déclaration de Douglas marque la fin d'une équivoque», Communiqué de presse du N.P.D.-Q., 4 mars 1963, 2 p.

DOUGLAS, T.C., CLICHE R., *Déclaration sur la confédération,* déclaration rendue publique le 11 février 1965, *Le Démocrate,* vol. 2 no. 1, mars 1965, p. 4.

DOUGLAS, T.C., «L'unité canadienne et la constitution», discours prononcé par T.C. Douglas, chef du Nouveau Parti Démocratique devant la *Osgoode Hall Legal and Literary Society,* Hôtel King Edward, Toronto, Ontario. Communiqué de presse du N.P.D., 15 janvier 1962, 6 p.

DOUGLAS, T.C., «Extraits d'un discours de T.C. Douglas, chef du Nouveau Parti Démocratique, prononcé en assemblée publique à Toronto», Communiqué de presse du N.P.D., 28 février 1963, 4 p.

DOUGLAS, T.C., «On Parliament hill», Déclaration, 7 septembre 1964, Communiqué de presse du N.P.D., 4 p.

DOUGLAS, T.C., MATHIEU, Roméo, «Déclaration conjointe émise par T.C. Douglas, chef du Nouveau Parti Démocratique, et Roméo Mathieu, président, Conseil provisoire du Nouveau Parti Démocratique de la Province de Québec, lors d'une conférence de presse, Hôtel Mont-Royal», Communiqué de presse du N.P.D., 20 février 1962, 3 p.

Fédération des travailleurs du Québec (F.T.Q.), «Déclaration de la F.T.Q. sur la Confédération et les droits provinciaux», Communiqué de presse, 12 juin 1961.

Fédération des travailleurs du Québec (F.T.Q.), «Résolution sur l'action politique», IIe congrès (décembre 1958), extraits, *Le Monde Ouvrier, mai 1959.*

Fédération des travailleurs du Québec (F.T.Q.), «Rapport du Comité d'éducation et d'action politique», IIIe congrès (novembre 1960), extraits, *La Presse,* 21 novembre 1960.

HOPE, Harry, «Lettre envoyée aux principaux dirigeants du Nouveau Parti», 22 juin 1961, Archives publiques du Canada, Ottawa.

LABERGE, Louis, «La mobilisation toujours nécessaire», Discours inaugural au 15e congrès de la F.T.Q., 1977.

LABERGE, Louis, «Pourquoi s'intéresser à l'élection fédérale?», *Le Monde Ouvrier,* numéro d'avril 1979, p. 2.

LALIBERTÉ, Raymond, «L'autodétermination des Québécois», exposé au congrès spécial du N.P.D.-Québec du 22 octobre 1971, texte ronéotypé, 8 p.

LALIBERTÉ, Raymond, «Quelques points repères concernant la portée de la résolution issue du comité des «vingt» sur l'établissement d'une nouvelle société». Congrès spécial des 22-23 octobre 1971, texte ronéotypé, 3 p.

LEBEL, Jean-Claude, «Discours d'ouverture», Colloque du Nouveau Parti à Montréal, 17 juin 1961. Communiqué de presse du Nouveau Parti, 17 juin 1961, 3 p.

Le Travailleur Canadien, «Déclaration de principe du Parti Social-Démocratique du Canada», septembre 1956, p. 29-31.

Le Travailleur Canadien, «Déclaration du Conseil exécutif du C.T.C.,» Ottawa, 28 février 1958», mars 1958.

Le Travailleur Canadien, «Rapport sur la résolution adoptée à la Convention de 1958 au sujet du Nouveau Parti politique», avril 1960, p. 48-49.

LEWIS, David, «Déclaration», conférence du Nouveau Parti à Montréal, 3 décembre 1960 (extraits), Le Devoir, 7 février 1961.

LEWIS, David, «Discours d'ouverture», congrès de fondation du N.P.D., 31 juillet 1961 (extraits), La Presse, 1er août 1961.

MATHIEU, Roger, «Déclaration à propos du Nouveau Parti», Le Travail, 12 décembre 1958.

MATHIEU, Roméo, «Discours prononcé devant les travailleurs de Murdochville», été 1957, (extraits), Le Monde Ouvrier, juin-juillet 1957.

Nouveau Parti-Québec, «Correspondance and Reports (1959-61)», Archives publiques du Canada, Ottawa.

Nouveau Parti, «Déclaration» d'un groupe de militants du Nouveau Parti du Québec sur la question nationale et la Confédération, La Presse, 5 juin 1961.

Nouveau Parti, «Membership and Comittee of Programm 1960-61», Archives publiques du Canada, Ottawa.

Nouveau Parti, «Nouvelles du Nouveau Parti», Vol. I, no. 2-3, novembre-décembre 1960.

Nouveau Parti, «Nouvelles du Nouveau Parti», Vol. I, no. 5-6, avril-mai 1961.

Nouveau Parti, «Procès-verbaux des réunions du Comité national du Nouveau Parti (1959-1961)», Archives publiques du Canada, Ottawa.

N.P.D., «Draft statement re. constitutional crisis», texte ronéotypé, août 1964, 4 p.

N.P.D., «Fédéralisme et biculturalisme», Texte du IIe congrès fédéral, 6-9 août 1963, 2 p.

N.P.D., «L'option positive pour un Canada uni», Résolution soumise au 9ème congrès fédéral du N.P.D., juillet 1977.

N.P.D., «Modifications à la constitution fédérale du N.P.D., texte ronéotypé, IIe congrès fédéral, 6-9 août 1963, Regina, 2 p.

N.P.D., «Politiques néo-démocrates 1961-1976», (colligées sous la responsabilité d'Anne Scotton), Ottawa, Mutual Press, 1976, 205 p.

N.P.D., «Programme et constitution du Nouveau Parti Démocratique», Montréal, Presses sociales, 1961, 31 p.

N.P.D., «Rapport d'Ottawa», Bulletin d'information du N.P.D.

N.P.D., «The Canadian Confederation-Bilinguism», Résolution du 3e congrès fédéral, 12-15 juillet 1965, (C.14 et E.5), texte ronéotypé, 2 p.

N.P.D.-Q., «Communiqué de presse», 24 janvier 1962.

N.P.D.-Q., «Le bulletin du N.P.D.-Québec», 1975 et 1976.

N.P.D.-Q., «Le N.P.D. du Québec intensifiera son action sur le plan fédéral», Communiqué de presse, 19 juillet 1963.

N.P.D.-Q., «Le N.P.D.-Québec : optimisme au sujet de la Commission Laurendeau-Dunton», Communiqué de presse, 24 juillet 1963.

N.P.D.-Q., «N.P.D.-Québec, c'est l'temps», Cahier des résolutions, congrès spécial des 30-31 mars 1985, 30 p.

N.P.D.-Q., «Procès-verbal du 6ᵉ congrès du N.P.D.-Québec», mai 1975.

N.P.D.-Q., «Programmes», 1972 et 1975.

N.P.D.-Q., «Projet de déclaration commune sur l'avenir du Canada», *Comité des vingt,* Résolution du congrès spécial du N.P.D.-Q., octobre 1971.

N.P.D.-Q., «Résolution Boyle-Boudreau sur l'autodétermination, Résolution du congrès spécial du N.P.D.-Q., octobre 1971.

N.P.D.-Q., «Structures du Nouveau Parti Démocratique et amendements à la constitution fédérale du N.P.D.» (projet de résolution), texte ronéotypé, août 1963, 1 p.

N.P.D.-Q., «Un message du Comité provisoire d'organisation du Nouveau Parti Démocratique», Communiqué de presse, 19 juillet 1963, 3 p.

N.P.D.-R.M.S., «Pour la défense des revendications des travailleurs, votons N.P.D.-R.M.S.», Programme électoral, novembre 1976, 12 p.

Parti social-démocratique, «Programme du Parti social-démocratique», Montréal, 1956.

PLOURDE, Adrien, «Discours» prononcé au congrès de la C.T.C.C., septembre 1958 (extraits), *Le Travail,* 26 septembre 1958.

PROVOST, Roger, «Déclaration publique» à propos du Nouveau Parti (extraits), *La Presse,* 8 juillet 1961.

PROVOST, Roger, «Déclaration publique» prononcée à l'occasion de la fête du Travail, septembre 1957, (extraits), *Le Travailleur Canadien,* vol. 2, no. 9, septembre 1959, p. 43.

PROVOST, Roger, «Discours d'ouverture», 3ᵉ congrès de la F.T.Q., novembre 1960 (extraits), *Le Devoir,* 18 novembre 1960.

Index des noms cités